Encore la vie devant soi

Jean Brunelle
Charlotte Plante

Encore la vie devant soi

Quitter, se réorienter et repartir

NOVALIS

Encore la vie devant soi. Quitter, se réorienter et repartir
est publié par NOVALIS.

Révision du texte: Yvan Dupuis

Couverture: Mardigrafe

Illustrations: Francine Baron

Éditique: Martin L'Allier – L'Officine Typographique

Dépôts légaux: 4e trimestre 2000
       Bibliothèque nationale du Canada
       Bibliothèque nationale du Québec

Nous reconnaissons l'aide financière du gouvernement du Canada par l'entremise du Programme d'aide au développement de l'industrie de l'édition (PADIÉ) pour nos activités d'édition.

Cet ouvrage a aussi reçu l'appui de madame Pauline Marois, ministre d'État à la Santé et aux Services sociaux et ministre de la Famille et de l'Enfance. Nous la remercions.

Dans ce livre, le masculin est utilisé de façon neutre et non discriminatoire.

Novalis, C. P. 990, Ville Mont-Royal (Québec) H3P 3M8

ISBN: 2-89507-115-2

Imprimé au Canada

Réimpression 2001

Données de catalogage avant publication (Canada)

Brunelle, Jean
       Encore la vie devant soi: quitter, se réorienter et repartir
       Comprend des réf. bibliogr.
       ISBN 2-89507-115-2
       1. Vieillissement – Aspect psychologique. 2. Actualisation de soi chez la personne d'âge moyen. 3. Maturation (Psychologie). 4. Personnes d'âge moyen – Psychologie. 5. Changement (Psychologie). I. Plante, Charlotte. II. Titre.
BF724.55.A35B78 2000 155.67 C00-941404-5

NOVALIS

Avertissement

Les histoires racontées dans ce livre ont diverses origines. La plupart sont rapportées intégralement, et certaines sont des adaptations. Ces histoires se sont transmises oralement et figurent dans des recueils publiés un peu partout dans le monde. Elles sont généralement adaptées à la culture du milieu et aux buts poursuivis par les auteurs ou les conteurs. D'autres histoires sont de notre cru et s'inspirent de faits de la vie courante.

Au cours des dernières années, nous avons réussi à retracer les noms de bon nombre d'auteurs des histoires de sagesse publiées dans notre bulletin annuel *Histoires métaphoriques et intervention éducative*[1] et reprises dans ce livre.

Bien que la plupart des histoires reproduites ici soient du domaine public, nous avons donné, lorsque nous les connaissions, les noms de leurs auteurs ou des personnes qui les rapportent. Les notes et références bibliographiques qui parsèment ces pages témoignent de notre souci d'exactitude.

Les auteurs

---

1. Les auteurs ont publié quatre bulletins annuels entre 1994 et 1997. La majorité des histoires racontées dans ces bulletins figurent dans le présent ouvrage.

Sommaire

Introduction

Les retraités actuels ont encore trois ou même quatre décennies à vivre. Presque autant d'années devant eux que d'années derrière. Des années pendant lesquelles ils devront graduellement faire face à un bon nombre de pertes, et s'interroger plus que jamais sur le sens d'une aventure qui se termine avec la mort.

Encore la vie devant soi tente de montrer qu'on peut encore croître et grandir dans les dernières étapes de sa vie. En ce sens, cet ouvrage se veut un guide dans l'apprentissage de l'art de bien vieillir. Ainsi, il propose de réaliser les transitions reliées au vieillissement comme les autres transitions de la vie, selon les étapes d'une croissance en trois temps. Les trois chapitres de ce livre correspondent aux trois étapes d'un processus de transition, aux trois étapes à franchir sur la route d'un vieillissement heureux.

Chapitre 1: QUITTER pour aller vers autre chose

Chapitre 2: SE RÉORIENTER devant les routes possibles

Chapitre 3: REPARTIR sur une route nouvelle

Chaque chapitre comprend une vingtaine d'histoires.

Celles-ci se présentent sous la forme de fables ou de paraboles, de récits fictifs, métaphoriques ou allégoriques issus des cultures chinoise, japonaise, hindoue, européenne, amérindienne et nord-américaine.

Ces histoires ont le pouvoir de donner accès à un autre univers, de faire prendre du recul par rapport aux exigences de la vie quotidienne. Elles stimulent l'imagination, agissent sur l'inconscient et mettent les lecteurs en contact avec des personnages, des animaux, des lieux et des symboles avec lesquels ils peuvent s'identifier. Elles sont autant de clés qui les aident à comprendre leur situation réelle et éventuellement à explorer des voies nouvelles. Ainsi peuvent-elles être considérées comme des histoires de sagesse. Après chacune de ces histoires, une question, toujours la même, est posée aux lecteurs:

Comment cette histoire peut-elle aider à bien vieillir?

Cette question a pour objet de susciter une première réaction et d'amorcer ou d'approfondir la réflexion en lien avec le thème du chapitre.

Chaque récit est également accompagné de commentaires sur le vieillissement.

Les commentaires ne remplacent pas la réflexion personnelle, mais au contraire, la stimulent et l'orientent. Ils se situent également dans le développement thématique du chapitre et apportent un éclairage à la question de l'art de bien vieillir, que ce soit sous la forme de savoir d'expérience, de conclusions de recherche, de propos recueillis chez des aînés, ou, souvent, de pistes à explorer.

Ce livre peut être lu de différentes façons.

Les gens aiment les histoires pour différentes raisons. On peut lire les histoires les unes après les autres, tout simplement par plaisir, ou encore par désir de voir comment elles se rapportent à l'objectif de bien vieillir. On peut également lire ce livre en vue de mieux comprendre le défi du vieillissement — le sien ou celui d'un proche — ou d'être éclairé pour prendre de bonnes décisions. On peut aussi regarder ce livre comme un livre de chevet... savourant une page de temps à autre... Il peut servir à alimenter une méditation, à faciliter un changement qui s'opère tout doucement au-dedans de soi.

Cinq convictions à la base de la pédagogie utilisée

Un vieillissement heureux, qui n'y aspire pas?

On a trouvé dans une pyramide d'Égypte une définition du bonheur vieille de trois mille cinq cents ans. C'est une parole de sagesse qu'on attribue au jeune pharaon, mystique et poète Akhenaton, dont le règne eut une influence déterminante sur l'évolution religieuse, artistique et littéraire de l'Égypte ancienne.

Une recherche récente montre que cette définition du bonheur correspond, encore aujourd'hui, aux aspirations de la majorité des gens[2]. Cette définition inspire l'orientation générale de ce livre sur l'art de vieillir: **marcher dans la nature à la rencontre de nos tendresses.** À 50 ans comme à 90 ans, on veut croire que le bonheur est toujours possible. Un vieillissement heureux, qui n'y aspire pas?

Valable pour tous les âges, la définition du bonheur proposée par Akhenaton pourrait s'énoncer comme suit:

- **marcher:** avancer en âge et vivre pleinement;
- **dans la nature:** en franchissant les unes après les autres les étapes de la vie;
- **à la rencontre:** en ayant conscience;
- **de nos tendresses:** des liens qui nous unissent aux choses, aux êtres vivants et à l'infini.

La définition égyptienne du bonheur devient donc pour nous:

> **Avancer en âge et vivre pleinement en franchissant les unes après les autres les étapes de la vie et en ayant conscience des liens qui nous unissent aux choses, aux êtres vivants et à l'infini.**

---

2. R. BLONDIN (1983), *Le bonheur possible: les gens heureux ont une histoire*, Montréal, Éditions de l'Homme, p. 209.

L'être humain a la faculté de pouvoir se développer jusqu'à la mort. Il peut vieillir heureux.

Il n'y a pas si longtemps — et même parfois encore de nos jours — le vieillissement et la vieillesse représentaient le versant descendant de la vie et signifiaient un déclin progressif de toutes les facultés.

Cette vision de la seconde moitié de la vie s'est beaucoup modifiée depuis les années 1960 sous l'influence de la psychologie humaniste. Du point de vue du développement personnel, le troisième âge est marqué par l'unification de soi et l'intériorisation, l'acquisition de nouvelles connaissances, la pleine jouissance du moment présent, la mise au premier plan de la compassion, la solidarité et la quête spirituelle. Il est dès lors possible de parler de vieillissement heureux.

L'environnement dans lequel vit la personne âgée influe sur son vieillissement et, réciproquement, la personne âgée influence son environnement.

L'environnement dans lequel la personne âgée évolue — le contexte historique et culturel, ses rapports avec ses proches, son niveau socio-économique — est un facteur qui influe grandement sur son vieillissement. En effet, son développement résulte de l'interaction entre son propre potentiel et ce qui se passe autour d'elle. Ainsi, les différences individuelles entre les personnes âgées sont multiples. Il n'existe pas un scénario unique de développement, mais différents profils découlant de relations complexes entre les variables biologiques, psychologiques et sociales. Par conséquent, il faut éviter d'enfermer les personnes âgées dans des préjugés et dans des stéréotypes âgistes.

Réciproquement, la personne âgée influence également son environnement: tant son entourage immédiat que les institutions, les organismes et les réseaux politiques, économiques et sociaux dans lesquels elle s'insère. L'évolution de l'environnement social dépend largement de celle de la population vieillissante. L'environnement s'adapte d'autant plus à celle-ci que, à l'heure actuelle, les aînés tendent à prendre plus de place et sont plus nombreux à faire valoir leurs droits.

Les changements qui accompagnent le vieillissement sont des occasions de croissance.

L'avancée en âge se fait par étapes: l'enfance, l'adolescence, la maturité et la vieillesse. À chacune de ces étapes de la vie, des événements surviennent, provoqués ou subis, qui suscitent des changements. Ils sont des occasions de transition, de croissance et souvent d'émergence d'un sens nouveau à la vie. Une journaliste américaine, Gail Sheehy[3], compare les transitions de la vie aux mues du homard.

> Nous ne différons guère d'un crustacé particulièrement robuste: le homard. Au cours de sa croissance, le homard se constitue des carapaces protectrices successives qu'il rejette les unes après les autres, chaque étape de croissance interne provoquant la chute de la carapace externe. Après chaque mue, le homard reste vulnérable jusqu'à ce que, le temps aidant, une carapace neuve se forme qui remplacera l'ancienne.

Les mues du homard l'indiquent: les changements sont difficiles. Avant de faire peau neuve, le homard connaît une période de fragilité et d'insécurité. Cette période est suivie d'une accalmie, jusqu'à ce qu'une nouvelle crise entraîne une autre mutation. Il en va de même pour l'être humain. Même à l'étape de la vieillesse, certains changements comme la diminution des capacités physiques, la solitude à la suite d'un deuil, la perte d'un domicile familier, peuvent être des occasions de croissance et d'apprentissage.

Connaître les étapes d'un processus de transition peut aider à mieux les vivre.

La retraite du travail professionnel, qui coïncide généralement avec les premières expériences subjectives du vieillissement, marque un tournant majeur dans la vie. Les nouveaux retraités font face à

---

3. G. SHEEHY (1982), *Passages: les crises prévisibles de l'âge adulte. Les passages de la vie*, Boucherville (Québec), Éditions de Mortagne, p. 28.

de nombreux défis d'adaptation afin d'apprendre à vivre avec les ressources à leur disposition, et donc à réorienter leur existence en fonction de leur nouvelle situation.

Qu'ils en soient conscients ou non, le processus de transition dans lequel ils s'engagent est constitué de trois étapes. Cependant, ce processus se trouve grandement facilité lorsqu'ils en prennent conscience et qu'ils tentent d'en bien vivre les étapes. L'analogie avec le cycle des saisons[4] aide à comprendre ce qui se passe dans les trois saisons successives de la transition.

- **À l'automne**, on prend le temps de terminer, d'achever, de boucler une situation ou une période. Comme le dit le langage populaire, on prend le temps de faire son deuil.
- **En hiver**, on traverse une période d'incertitude, de vide, d'errance, un entre-deux; on sait ce qui a été, mais pas encore ce qui sera, ni comment ce sera. On se réoriente.
- **Au printemps**, on forme progressivement de nouveaux projets, on adopte de nouvelles façons de faire et d'être en vue de la période à venir, c'est-à-dire l'été, qui sera l'aboutissement du processus.

---

4. Il revient à Bridges d'avoir défini les trois étapes du processus de transition en s'inspirant du cycle naturel des saisons. Roberge étudie chacune de ces trois étapes, en particulier la deuxième; voir M. ROBERGE (1998), *Tant d'hiver au cœur du changement: essai sur la nature des transitions*, Sainte-Foy, Éditions Septembre, p. 60.

Chapitre 1

Quitter pour aller vers autre chose

ÊTRE ATTENTIF AUX SIGNES
QUI INVITENT À ALLER VERS AUTRE CHOSE

DÉTERMINER LES CAUSES
QUI EMPÊCHENT D'ALLER VERS AUTRE CHOSE

RECONNAÎTRE LES DIVERSES FAÇONS
D'ÉVITER UN CHANGEMENT RÉEL

METTRE EN ŒUVRE DES CONDITIONS
PERMETTANT D'ALLER VERS AUTRE CHOSE

1.1 ÊTRE ATTENTIF AUX SIGNES QUI INVITENT À ALLER VERS AUTRE CHOSE

Un événement marquant

L'aventure de l'antilope musquée[5]

Il arrive qu'une fois, au cours de son existence, l'élégante antilope des montagnes se trouve très ébranlée par un souffle de parfum musqué qui effleure ses narines. Elle a beau flairer l'herbe autour d'elle, elle n'arrive pas à déterminer d'où vient cette odeur, si puissante que plus rien ne lui résiste. Elle se met alors à bondir, de lieu en lieu, à la recherche de ce parfum délicieux. Et court ainsi à travers ravins et collines. La belle antilope renonce à toute nourriture et à tout sommeil jusqu'au jour où, exténuée par la faim et la fatigue, elle se met à tituber, à zigzaguer parmi les rochers pour enfin tomber grièvement blessée. À ce moment seulement, elle s'accorde enfin un peu de sollicitude, se lèche longuement le poitrail... et découvre alors la poche à musc déchirée dans son propre corps.

L'antilope en respire profondément le parfum qui l'apaise et l'endort. Elle dort très longtemps. Et prend par la suite des jours et des jours de convalescence. Puis un beau matin, elle se met debout sur ses pattes et prend une longue respiration en regardant le ciel. C'est comme si elle éprouvait un sentiment de sursis et une intuition encore mal définie que le parfum de sa quête était déjà là sur sa poitrine.

Comment cette histoire peut-elle aider à bien vieillir?

---

5. Cette histoire appartient à la tradition hindoue. Elle est tirée de G. RINGLET (1998), *L'évangile d'un libre penseur: Dieu serait-il laïque?*, Paris, Albin Michel, p. 196.

Que de chemin parcouru et de souffrances endurées! Sans cette course folle qui a entraîné son immobilisation et sa longue convalescence, l'antilope n'aurait pas fait cette bouleversante prise de conscience d'elle-même. Maintenant, étant donné ce qu'elle a compris, elle peut voir les choses sous un autre angle et vivre sa vie autrement.

Comme l'antilope, à un moment ou un autre de la vie, nous vivons un événement décisif, tel qu'une rétrogradation professionnelle, un cancer, un accident ou des problèmes liés au chômage, au divorce, à l'admission dans une maison de retraite.

Très souvent, une voix intérieure attendait cette halte forcée pour se faire entendre. Prenant de l'importance tout à coup, elle invite à quitter certains comportements pour en adopter d'autres qui sont moins familiers et qui restent à découvrir.

Si nous trouvons le courage de vivre sans nous affoler les bouleversements apportés par le changement en cause, et si nous sommes capables de mettre en question notre manière de vivre, comme l'antilope de l'histoire, il y a de fortes chances qu'un bon matin, nous nous retrouvions debout sur nos jambes en ayant l'impression que l'événement nous a appris quelque chose d'essentiel.

Des signes de déclin

Roméro change de catégorie[6]

Fini les hésitations et les débats intérieurs. Après un long silence de six mois, Roméro se décide enfin: il se présentera encore cette année au concours national cubain de rumba, mais cette fois dans la catégorie style.

Quelle étonnante nouvelle pour les Cubains! Quelle déception également! Le champion national de rumba se retire, du moins de l'épreuve d'endurance.

Même s'il est presque sexagénaire, Roméro a toujours voulu projeter une image de jeune danseur fougueux, au déhanchement infatigable. Il éprouve une fierté non moins grande de s'être toujours affiché, à chaque concours annuel, avec une très jeune et séduisante danseuse encore inconnue du public.

Roméro a préparé sa réponse pour les journalistes qui chercheront sans doute à connaître les raisons d'un tel retournement: «Tout ce long hiver, je me suis demandé si le moment était venu pour moi d'abandonner la compétition de rumba. J'ai finalement décidé de continuer à y prendre part, mais en tenant compte de ma nouvelle situation: ma résistance moindre à la fatigue, des douleurs plus fréquentes aux hanches et ma nouvelle relation amoureuse avec Carmen, une danseuse d'expérience qui a à peu près mon âge.»

Le lendemain, à la une des journaux, les Cubains pourront lire: «Notre danseur national Roméro a bien changé. Il participera uniquement au concours de style avec une danseuse d'expérience, sa bien-aimée Carmen.»

Comment cette histoire peut-elle aider à bien vieillir?

---

6.   Cette histoire a été inspirée aux auteurs par un fait vécu.

On peut dire que Roméro ne lâche pas facilement! Il admet qu'il ne peut plus faire les choses comme avant, mais ne renonce pas pour autant à ce qui fait son être et à ce qu'il aime faire. Il apprend à utiliser ses ressources avec réalisme et lucidité. Sa vie se déroule ainsi en harmonie avec l'ordre des choses.

À l'instar de Roméro, on peut, malgré des pincements au cœur, envisager l'avenir autrement en s'appuyant sur les expériences passées. Le célèbre pianiste Artur Rubinstein fournit un exemple qui témoigne bien de cette attitude[7]. Dans une entrevue accordée à la télévision alors qu'il était septuagénaire, il affirmait avoir trouvé trois manières de faire face aux problèmes que lui posait son état de santé: réduire son répertoire, s'imposer un plus grand nombre d'exercices afin de pouvoir exécuter correctement les œuvres choisies et ralentir son jeu avant de s'engager dans les passages rapides. Il créait ainsi un contraste entre les passages lents et les passages rapides.

Même s'ils ont dû modifier leur façon de faire, Rubinstein et Roméro ont pu poursuivre leur carrière artistique. Au lieu de s'exposer à de pénibles échecs, ils ont exploité les ressources dont ils disposaient en tenant compte de leurs limites. Connaître ses capacités fait aussi partie de la sagesse qui vient avec l'âge.

---

7. Propos rapportés par P. B. BALTES et M. M. BALTES (1991), cités par C. VANDENPLAS-HOLPER (1998), *Le développement psychologique à l'âge adulte et pendant la vieillesse: maturité et sagesse*, Paris, Presses Universitaires de France, p. 21.

Quand le ressort a des ratés[8]

Il se passe quelque chose de peu ordinaire dans la chambre de la petite Norma. Pour être plus précis, il faudrait plutôt dire: dans le coin des jouets. C'est un peu comme si ces derniers étaient en deuil. Une personne ayant de l'expérience aurait pu voir que ce deuil se préparait depuis quelques mois. Depuis le soir où le soldat de plomb raconta à ses congénères, sur un ton de confidence et les larmes aux yeux, que son ressort restait parfois coincé. À quelques reprises, récemment, il n'avait pu aller au bout de ses désirs. Il s'était arrêté sur la route; il n'avait pu atteindre ses buts, en fait les buts fixés par Norma. À cause de ces incidents, il lui était désormais interdit de prendre part à quelque défilé que ce soit.

Mais ce n'était pas la véritable cause de la tristesse du soldat de plomb. Cette tristesse, il essayait de l'étouffer, mais elle s'imposait de plus en plus cruellement à mesure que les jours passaient. Car il savait depuis toujours — tous les jouets le savent — que les joujoux brisés ou vieux sont acheminés périodiquement par les parents de Norma au comptoir municipal des jouets usagés, pour y être éventuellement réparés et donnés à des enfants moins fortunés. «Ainsi, se disait le soldat, mon handicap me fera perdre ma fierté, ma famille et mes amis.»

On remarqua par la suite que le soldat s'était mis à nier la réalité et qu'il refusait d'admettre ses limites. Non seulement il s'inscrivait à toutes les courses et parades, mais il se mit à en organiser lui-même, à compliquer les parcours et à augmenter le nombre de ses défis personnels. En cachette, il tendait au bout son ressort, inventait quelque raison d'arrêter chez un rare complice pour le faire remonter ou, en dernier recours, demandait discrètement qu'on le poussât dans les derniers mètres. L'important était de faire montre d'endurance et de rapidité, comme au temps de sa belle jeunesse.

---

8. Ce récit s'inspire de l'expérience de burnout vécue par un proche.

Et d'y croire un peu aussi. Jusqu'à ce que — crac! — son ressort cassât et qu'il comprit que, cette fois, il avait atteint un point de non retour. «Il aurait dû prendre un rythme plus lent en vieillissant, dit l'éléphant, la tristesse dans le regard.»

Comment cette histoire peut-elle aider à bien vieillir?

Les attitudes et les comportements du soldat de plomb semblent dictés par la recherche à tout prix de l'«excellence» et de la «qualité totale». On dirait qu'il n'a le choix qu'entre l'excellence et la médiocrité. Pour lui, le juste milieu n'est pas une possibilité. Pas surprenant qu'il n'ait pas pris un rythme plus lent en vieillissant.

La «quête de l'excellence» s'inscrit dans un système qui exige des résultats immédiats. Elle ne tient pas compte du rythme d'évolution de la personne. On peut seulement faire plus et mieux.

La quête aveugle de l'excellence favorise l'individualisme et accorde une importance démesurée à la prise de responsabilités. Elle crée un sentiment de puissance invincible et donne le vertige aux personnes qui s'y sont engagées. Au bout du compte, la seule porte de sortie pour les personnes qui sont gravement atteintes, c'est l'épuisement professionnel, le burnout[9]!

Inévitablement, du fait du vieillissement, le «ressort» connaît des ratés. On a alors l'impression de glisser dans la médiocrité. Il est alors tentant de refuser de voir les signes du vieillissement, de les masquer et même de monter la barre pour continuer d'éviter de faire face à la diminution de ses capacités.

Les signes qui accompagnent le vieillissement indiquent la proximité d'un passage obligé et invitent à reconsidérer ses attitudes et ses comportements.

9.   H. PEDNEAULT (1992), *Pour en finir avec l'excellence*, Montréal, Boréal, p. 46-64.

Comme tu as changé, Alice! [10]

Alice et Albert se rencontrent par hasard dans l'aérogare alors qu'ils attendent tous deux le même avion.

Alice et Albert se sont bien connus autrefois, à l'école, il y a une cinquantaine d'années. Leur dernière rencontre remonte à environ dix ans. Albert ne dissimule pas ses premières impressions.

«Alice, comme tu as changé! Ta taille autrefois si délicate s'est beaucoup épaissie. Ta démarche est plus lente! Et, ma foi, te voilà ridée.»

Alice avait elle-même les yeux fixés sur la silhouette de son vieil ami. Mais sa délicatesse l'amena à garder pour elle ses commentaires. Cependant, elle se dit intérieurement que, tôt ou tard, Albert allait être amené à laisser parler son miroir.

Comment cette histoire peut-elle aider à bien vieillir?

---

10. Ce récit s'inspire d'un fait vécu dont les auteurs ont été témoins.

Comment Albert peut-il être aussi attentif aux signes de vieillissement que présente Alice et si peu aux siens? Les études sur les façons de réagir au processus du vieillissement révèlent que le travail insidieux du temps sur la morphologie et les capacités fonctionnelles de l'individu demeure longtemps imperceptible[11].

La réaction d'Alice à l'indélicatesse d'Albert indique qu'elle est déjà consciente de l'image qu'elle projette, ce qui n'est pas le cas d'Albert. Mais, comme dit Alice, tôt ou tard, Albert sera amené à laisser parler son miroir!

À l'instar d'Albert, on peut se sentir épargné par les outrages du temps, mis à part, bien sûr, de petits ennuis que l'on écarte comme étant sans importance. Mais un jour, il se produit un événement, quelque chose d'inattendu, de déstabilisateur et, subitement, on découvre que l'on porte les marques de la vieillesse.

Les éléments déclencheurs de cette découverte sont multiples: une jeune femme nous cède sa place dans le métro; une ouvreuse au cinéma nous offre le tarif spécial de l'âge d'or; on fait une chute dans un escalier qui nous est familier; on éprouve de la nostalgie à la pensée que plus jamais quelqu'un ne nous dira un premier «je t'aime». Il en résulte qu'un beau matin, comme le dit Vladimir Jankelevitch, «l'homme vieillissant s'avise de la cruelle réalité. Il remarque ce visage fripé qui est le sien et qu'il regardait jusque-là distraitement; il examine pensivement, soucieusement, les signes avertisseurs; il considère en silence le visage fripé comme si jamais il ne l'avait vu, comme s'il le voyait aujourd'hui pour la première fois[12].»

La multiplication des signes de déclin indique qu'il est maintenant temps de reconsidérer l'image que l'on a de soi.

---

11. Plusieurs des idées émises ici sont tirées de D. ARGOUD et B. PUIJALON (1999), *La parole des vieux: enjeux, analyse, pratiques*, Paris, Dunod, p. 90-102.

12. Ibid., p. 102.

Le malaise entraîné par la nécessité de changer sa manière d'agir

Un pari entre le soleil et le vent [13]

Un jour, le soleil et le vent discutaient pour savoir lequel des deux était le plus fort. Enfin, le soleil dit: «Tu vois ce voyageur en bas? Voici une façon de régler notre question. Celui qui réussira à lui faire enlever son manteau sera le gagnant. Je vais te laisser commencer.»

Le vent aima l'idée, et tandis que le soleil se cachait derrière un nuage, le vent commença à souffler aussi fort qu'il le pouvait. Mais plus il soufflait, plus le voyageur tenait fermement son manteau autour de lui, jusqu'à ce que le vent abandonne finalement la partie.

Alors, le soleil sortit et brilla si chaudement sur l'homme que bientôt, ce dernier enleva son manteau.

Comment cette histoire peut-elle aider à bien vieillir?

---

13. Cette histoire est attribuée à Ésope, personnage à demi légendaire de la Grèce antique, qui serait l'auteur d'un recueil de fables (Xe siècle av. J.-C.).

La première partie de la vie est consacrée à la conquête du pouvoir, de la performance, de l'efficacité. Il n'est pas question de s'arrêter, car alors on se ferait dépasser. C'est la «période de vent» dans la vie.

La seconde partie de la vie entraîne généralement une réflexion existentielle. La personne se préoccupe alors beaucoup plus de son accomplissement en tant qu'être que de l'avoir et du pouvoir. Elle entre, pour ainsi dire, dans la «période de soleil».

Ce passage du vent au soleil occasionne souvent un malaise, voire un état de crise. Certains avouent avoir pleuré, d'autres s'être sentis pris dans une cage ou agrippés par la vieillesse qui les attendait sur la route de la vie. D'autres encore disent éprouver le sentiment d'avoir passé une frontière. La vieillesse n'est plus une abstraction, mais une réalité.

Divers moyens sont alors envisagés pour vivre le «je ne suis plus jeune», le «je serai vieux» et le «je vais mourir». Si on fixe uniquement son regard sur les pertes qui surviennent, le temps vécu est marqué par le regret, l'impuissance, l'angoisse et la perte de sens. En revanche, si on parvient à se défaire de la morosité engendrée par la prise de conscience du vieillissement, on apprend à concentrer ses efforts sur la réalisation de soi que permet la dernière étape de la vie.

Sous l'emprise du vent, on lutte, on résiste, on se bat avec la vie. En s'abandonnant au soleil, on s'ouvre avec confiance, douceur et sérénité aux transformations qui accompagnent la dernière partie de la vie.

La satisfaction du travail accompli

Un vieil érable raconte son histoire[14]

Il était un vieil arbre majestueux, situé au plus haut point de l'érablière. «Il est fini», a dit mon père avec émotion, un jour d'automne, «c'est le temps de l'abattre.»

Quelques éclats ont volé sous le tranchant de la hache, puis la scie, de ses dents d'acier, a grugé lentement à travers les âges de ce tronc magnifique ses stries témoins de ses années de vie. Il ne s'est pas laissé vaincre facilement, le vieil arbre durci par les ans. Sous les grincements répétés de la scie, il s'est enfin couché lourdement parmi ses rejetons plus jeunes. Sur la souche à découvert, je me rappelle avoir compté les âges, les couches annuelles successives, plus de trois cents. Et le vieil arbre m'a raconté silencieusement son histoire:

«Tu vois ces stries concentriques, je les ai ajoutées, dit-il, au fil des ans, au gré des saisons. Elles sont plus épaisses quand le soleil d'été a été plus généreux, plus minces en période de sécheresse et d'aridité. Bien avant l'arrivée des premiers colons en terre beauceronne, les Indiens ont établi ici leur bivouac, à mes pieds, sous mon ombrage. Puis un jour, on a découvert le secret de la sève qui circulait dans mes veines.

À chaque printemps, j'ai été heureux de la laisser couler abondante et sucrée pour le délice des gourmets. Après avoir tant reçu d'un sol généreux, d'un soleil bienfaisant, je me devais de faire des heureux. Maintenant, je laisse à mes rejetons le soin de continuer l'œuvre. Mon service à moi, à l'avenir, prend une autre allure. Dans mon tronc solide, j'ai accumulé les calories. Aux jours de froidure, j'apporterai au foyer la douce chaleur puisée à la source du soleil d'été. Et ma braise ardente dans le four à pain permettra à la cuisinière de déposer sur la table de Noël ou du Jour de l'an une belle miche, pour la joie des convives. C'est beau de servir jusqu'à la

---

14. Ce récit est extrait d'une chronique publiée dans *L'Écho du Collège de Lévis* (avril 1990, p. 15), à l'occasion du 80e anniversaire de Mgr Eugène Marcoux.

bonne cendre de bois franc qui ira féconder la moisson nouvelle. J'ai été heureux de le faire à ma façon, m'a dit le vieil arbre de l'érablière de mon enfance.»

Comment cette histoire peut-elle aider à bien vieillir?

«Il est fini... C'est le temps de l'abattre.» Expressions conster-
nantes et sans doute injustes à l'endroit de ce géant de l'érablière.
Mais le sort en est jeté: il s'est enfin couché lourdement parmi ses
rejetons plus jeunes. «Quel départ! Quelle fin cruelle!», serait-on
tenté de dire.

Mais, contre toute attente, le vieil arbre parle de lui-même et
pose un regard serein sur sa vie. Il semble exempt de cette forme
d'orgueil qui amènerait à se sentir meurtri et à exiger plus de
considération pour les événements difficiles de son existence. Il
évoque des faits qui témoignent du rôle important qu'il a joué à
l'intérieur de l'érablière. La volonté de servir jusqu'à la fin la col-
lectivité lui fait trouver un usage à ses cendres. Toujours digne, il ne
s'apitoie pas sur sa disparition, mais est fier de pouvoir continuer
à être utile.

À un moment de la vie où un changement s'impose, l'attitude
du vieil érable est inspirante. Elle invite à regarder tout changement
important comme une autre occasion qui est offerte de se dépasser soi-même. Elle incite à jeter un regard objectif sur ce changement, si douloureux soit-il.

Lorsque l'effet de surprise a disparu, que la douleur, avec le
temps, perd de son intensité, prendre le temps de déterminer ce
qui constitue l'héritage d'une vie ou d'un épisode de vie donne le
sentiment de pouvoir aller vers autre chose, le cœur en paix et
enrichi par l'expérience.

Un faux départ

Un oiseau téméraire[15]

Par une froide journée d'automne, alors que des milliers d'oiseaux s'envolaient en direction du sud pour échapper à l'hiver glacial, un petit oiseau décida qu'il n'allait pas partir avec les autres. «Une perte de temps, raisonna-t-il. Après tout, je vais devoir refaire le même long voyage le printemps prochain.» Peu après cependant, une vague de froid record s'abattit sur le pays et l'oiseau récalcitrant réalisa qu'il lui faudrait partir. Il prit donc son vol, mais il tomba à pic. Par chance, son corps presque inanimé atterrit dans une grosse meule de foin, puis tomba sur le sol durci d'une basse-cour, près d'un troupeau de vaches.

Au moment où le cœur presque gelé de l'oisillon allait cesser de battre, une vache passa par là et se soulagea directement sur le malheureux. Le chaud fumier recouvrit l'oiseau, lui sauvant la vie; son cœur se remit à battre vigoureusement et ses ailes dégelèrent. Heureux d'être en vie, l'oiseau se mit à chanter un chant magnifique qui, ainsi le voulut le destin, attira l'attention du chat de la ferme qui arriva à pas feutrés, fouilla dans la bouse, y trouva l'oisillon et le mangea promptement.

Comment cette histoire peut-elle aider à bien vieillir?

---

15. Cette histoire est tirée de D. MILLMAN (1994), *La voie du guerrier pacifique: une pratique de chaque instant*, Montréal, Éditions du Roseau, p. 50.

Le cheminement de l'oiseau montre ce qu'est «un changement avorté, une fuite en avant, un faux départ». Dès le début de l'histoire, on reconnaît les quatre caractéristiques de l'achèvement d'une situation décrite par Roberge[16]: le désengagement, le désenchantement, la «désidentification», la désorientation. Un oiseau décide de ne pas faire le voyage migratoire avec ses congénères; il désire rompre avec sa manière habituelle de vivre, qui ne lui convient plus. Peu après, cependant, il déchante. Sa nouvelle situation — l'hiver ici — est très éloignée de l'idée qu'il s'en était faite. Dans cet hiver inattendu, dépourvu de ses repères familiers, l'oiseau n'est plus à ses propres yeux l'oiseau brave qu'il était: il n'est plus qu'un petit oiseau, seul, fragile et vulnérable. Cette situation nouvelle le désoriente complètement. Il croit ne pas avoir la capacité d'y faire face. Il éprouve un sentiment atroce de vide et d'impuissance.

Il décide donc de partir seul vers le sud. Que s'est-il passé pour que le petit oiseau revienne ainsi sur sa décision? Roberge explique que le changement ne peut se produire quand la première phase d'achèvement a été sautée. Dans le cas de l'oiseau, cela signifie qu'il n'a pas vraiment renoncé aux temps chauds. Il n'a pas fait le deuil de son ancienne vie. Il y est même tellement attaché qu'il n'a pas encore assez de liberté intérieure pour accepter le désarroi presque inévitable qui suit le changement.

Le froid hivernal — la situation nouvelle dans laquelle il se trouve — fait donc surgir ses peurs et l'empêche de se servir de son imagination pour tirer parti de la situation. Il est alors obligé de revenir en arrière, de rattraper ce qu'il a laissé partir, de songer à sa sécurité, de s'accrocher à ce qu'il connaît déjà: le voyage annuel dans le sud. Il s'envole donc comme si rien ne s'était passé, sans chercher à comprendre ce qui a motivé son désir de changement. Mais il tombe sur le sol gelé.

Un autre que lui, dans cette même situation d'échec, s'arrêterait pour chercher à comprendre les motifs qui l'incitent à partir. Notre oiseau, lui, ne semble pas conscient de son impétuosité. Bien plus,

---

16. Plusieurs idées émises dans ce commentaire sont puisées dans M. Roberge, *op. cit.*, p. 67-75.

dès que la vache l'a réconforté un peu, il oublie sa déconvenue et est prêt à repartir.

Ainsi, il est impossible à l'oiseau d'apporter quelque changement que ce soit dans sa vie. Une fois encore, il ne prend pas le temps d'évaluer sa situation; il est tout heureux de retourner à ses anciennes amours. Cependant, cette fois sera la dernière. Le chat qui rôde est prêt à se saisir de l'oiseau impulsif et téméraire.

Cette histoire de l'oiseau téméraire est riche d'enseignement pour toute personne qui veut apporter un changement dans sa vie: un risque est toujours un risque, mais s'il est bien calculé, les probabilités d'échec diminuent.

La conscience de l'inéluctabilité de sa propre mort

Un signe fatal[17]

Ce jour-là, Marmotte ressentit un malaise peu ordinaire dans la poitrine. Une douleur tenace qui devint si aiguë qu'elle fut forcée de s'étendre. Lapinot, son ami de toujours, l'aperçut ainsi couchée dans le champ de trèfles, là où tous deux, jusque-là, avaient passé leurs plus belles saisons. Il s'avança précautionneusement, ne voulant pas interrompre la sieste. Même les abeilles évitaient de voler trop près. Mais en s'approchant, Lapinot entendit le souffle haletant de son amie. Ceci ne lui laissa aucun doute.

Marmotte se remettait pourtant. Elle put expliquer à Lapinot que ce signe venait s'ajouter à d'autres: une vue courte, un pas ralenti et de fréquents moments de lassitude. Ses paroles pénétraient dans le cœur de Lapinot, qui voulait se rappeler ces mots afin de pouvoir se les redire.

Les deux amis reprirent leurs occupations habituelles dans le champ de trèfles. Des semaines passèrent, et ni l'un ni l'autre n'avaient envie d'aborder ouvertement l'éventualité prochaine. Mais à la tombée du jour, quand l'heure venait pour elle de regagner son tunnel, et pour Lapinot, de rentrer dans son terrier à l'entrée de la pépinière, leur séparation se faisait chaque soir avec la secrète crainte de voir survenir bientôt la mort.

Un beau matin, Marmotte ne sortit pas de son tunnel comme à l'habitude. Les abeilles s'étaient posées, silencieuses, sur les fleurs de trèfle tout autour. Lapinot attendit longtemps. À midi, Lapinot était toujours là, près du trou. Le museau en l'air, frémissant, il crut soudainement sentir une douce fraîcheur, comme un souffle léger qui s'échappait vers le ciel.

Il leva les yeux un moment, puis repartit vers son terrier. Et les abeilles s'envolèrent.

Comment cette histoire peut-elle aider à bien vieillir?

---

17. Ce récit s'inspire d'un fait vécu.

Les signes de vieillissement que Marmotte mentionne à son ami Lapinot sont familiers à toute personne qui a franchi le mitan de la vie. Ces signes suscitent un sentiment de fragilité et de vulnérabilité. Dans le secret du cœur de la personne, ils annoncent que le vieillissement normal se poursuit.

À soixante ans, par exemple, les questions relatives à la souffrance, à la maladie, à la vieillesse et à la mort se multiplient. Ces questions sont encore plus anxiogènes quand il s'agit de ses propres maladies et de sa propre mort. «Si la mort angoisse autant, écrit Marie de Hennezel[18], c'est parce qu'elle nous renvoie aux vraies questions, celles que nous avons souvent enfouies avec l'idée de les ressortir plus tard, quand nous aurons le temps de nous poser les questions essentielles.» Quand vient le temps de réfléchir sur ces questions essentielles, on sent vibrer en soi deux instincts qui déterminent nos représentations de la mort. L'instinct de mort suscite une réaction qui fait regretter le passé et interroger anxieusement l'avenir, alors que l'instinct de vie, s'il parvient à l'emporter sur l'instinct de mort, donne le goût de former des projets qui maintiennent le désir de continuer.

Comme dit Languirand[19], «je n'ai pas à m'occuper de la mort qui vient, car elle est en mesure de s'occuper de moi toute seule!» Cependant, pour que l'instinct de vie se manifeste, il faut considérer l'idée de la mort qui est la nôtre et qui détermine en grande partie notre attitude en face de la vie.

Ainsi, durant l'âge mûr, selon Levinson[20], il est nécessaire de nourrir de nouvelles ambitions et de regarder le vieillissement comme un processus normal. D'après cet auteur, on peut dire que, d'une façon générale, à la fin de la cinquantaine, les personnes sont animées soit par l'instinct de mort qui les amène à se résigner, soit par l'instinct de vie qui les conduit à se passionner pour tout ce qui constitue une forme de dépassement de soi.

18. M. DE HENNEZEL (1995), *La mort intime: ceux qui vont mourir nous apprennent à vivre*, Paris, Robert Laffont, p. 75.
19. J. LANGUIRAND (1989), *Par quatre chemins* (vol. 1), Boucherville (Québec), Éditions de Mortagne, p. 72.
20. D. J. LEVINSON (1978), *The Seasons of a man's life*, New York, Ballantine, p. 227.

1.2 DÉTERMINER LES CAUSES
QUI EMPÊCHENT D'ALLER VERS AUTRE CHOSE

La stabilité des traits de personnalité

Pickpocket d'une génération à l'autre[21]

Il était une fois un célèbre pickpocket. Attendant à un arrêt d'autobus, il découvrit soudainement que son portefeuille avait disparu. Il regarda autour de lui, à la recherche du coupable, mais en vain. La seule personne en vue était une femme légèrement grisonnante. Il songea: «Elle a l'air si aimable et si douce qu'il est impossible qu'elle ait volé mon portefeuille. Pourtant, il n'y a personne d'autre. Je vais lui demander.» Il aborda donc la femme et se présenta, entamant une conversation superficielle. Puis il demanda négligemment «Auriez-vous par hasard pris mon portefeuille?» Elle répondit par l'affirmative. L'homme fut très impressionné. Il lui dit «C'est extraordinaire! Vous êtes très habile et sans doute très intelligente. Pour avoir volé mon portefeuille, il faut que vous soyez une experte. Vous savez, il se trouve que je suis le meilleur pickpocket du pays.» À ces derniers mots, la dame sursauta. Elle venait de reconnaître son fils, parti de la maison sur un coup de tête, à l'âge de 18 ans. Pas de doute possible: le timbre de la voix, un rictus de fierté au coin de la bouche, et surtout, cette assurance qu'il avait déjà tout petit. Mère et fils renouèrent et en vinrent aux confidences intimes. C'est ainsi que le fils apprit la singulière histoire de sa naissance.

À sa naissance, il avait un handicap: son bras droit était replié sur sa poitrine et son poing fermement serré. Ses parents consultèrent de nombreux médecins qui certifièrent tous que l'enfant était parfaitement sain, mis à part ce handicap dont ils ne trouvaient pas la cause. Personne ne parvint à le guérir. Ils finirent par consulter le meilleur docteur du pays qui leur donna l'espoir qu'une intervention

---

21. Ce récit est une adaptation de l'histoire racontée par la guide spirituelle hindouiste Amma dans *Matruavini*, mars 1998, p. 15.

chirurgicale pourrait résoudre le problème. Le médecin commença par poser le bébé sur une table pour l'examiner. Puis il remarqua que celui-ci regardait intensément la montre qu'il avait enlevée pour procéder à l'examen. Il la prit et la fit osciller devant ses yeux. Les yeux du bébé suivaient attentivement le mouvement de la montre en or. Le médecin fut émerveillé de la concentration de cet enfant et s'exclama: «Comme ce garçon est intelligent! Voyez avec quelle intensité il fixe ma montre du regard.» Puis il posa l'objet près du bébé, dont le bras se mit aussitôt en mouvement, lentement, se dépliant peu à peu pour enfin s'allonger complètement. Et soudain, le petit poing s'ouvrit et laissa tomber une alliance en or... Le bébé, à la naissance, avait volé l'alliance de la sage-femme. Il venait de la lâcher pour prendre la montre du docteur, plus précieuse. Ainsi, mère et fils reconnurent qu'ils étaient unis dans un même destin depuis fort longtemps. Ils partirent ensemble bras dessus, bras dessous. On pouvait se demander, à les voir ainsi s'éloigner, s'il leur était encore possible de modifier le parcours de leur vie.

Comment cette histoire peut-elle aider à bien vieillir?

Certains événements amènent la personne à prendre conscience du caractère permanent de ses traits de personnalité.

Quand un changement s'impose après le mitan de la vie, on se demande souvent si la présence de l'un ou l'autre trait de personnalité ne viendra pas empêcher de prendre le virage souhaité. «Peut-on encore changer après un certain âge?» Cette question relative à la permanence des traits de personnalité — l'instabilité affective, l'extraversion, l'ouverture d'esprit, la sociabilité, le fait d'être consciencieux — a fait l'objet d'études en relation avec le vieillissement heureux[22].

Ces études montrent que de puissantes forces tendent à figer la personnalité quand l'individu avance en âge. Par ailleurs, les données concernant la stabilité ne signifient pas qu'il est impossible de changer quoi que ce soit à la personnalité. Certains événements déterminants peuvent désinstaller une personne, la déstabiliser et ainsi augmenter la marge de manœuvre dont elle dispose pour influer favorablement sur son devenir. Par conséquent, des changements, même modestes, peuvent constituer des réalisations appréciables, surtout si la personne en transition bénéficie d'une relation d'aide.

---

22. C. VANDENPLAS-HOLPER, op. cit., p. 120.

L'adhésion totale à des croyances

Le chat et la méditation[23]

> Lorsque chaque soir, le guru s'assoyait pour procéder à la prière, le chat de l'ashram se mettait dans le chemin et distrayait les priants. Aussi ordonna-t-il qu'on attachât le chat durant la prière du soir.
>
> Longtemps après la mort du guru, on continua d'attacher le chat durant la prière du soir. Puis, quand le chat finit par mourir, on amena un autre chat dans l'ashram pour qu'il pût être dûment attaché durant la prière du soir.
>
> Des siècles plus tard, les disciples du guru écrivirent de savants traités sur le rôle essentiel du chat dans le bon déroulement de toute prière.

Comment cette histoire peut-elle aider à bien vieillir?

---

23. Cette histoire hindoue est rapportée par A. DE MELLO (1994), *Comme un chant d'oiseau*, Montréal/Paris, Éditions Bellarmin/Desclée de Brouwer, p. 55.

Selon plusieurs études, le vieillissement serait vu à travers le prisme des préjugés. Le spécialiste en gérontologie Jean Carette[24] est d'avis que trois préjugés entretenus par notre société nuisent à la qualité de vie des personnes à la retraite et déforment l'image sociale des personnes du troisième âge.

«Que voulez-vous, à votre âge, on n'y peut pas grand chose...» Cette phrase illustre bien le premier préjugé qui consiste à croire que le fait de vieillir entraîne nécessairement la mauvaise santé ou la maladie.

Suivant le deuxième préjugé, on enlaidit nécessairement en vieillissant! Ce préjugé largement répandu est entretenu par l'«industrie de la beauté». On est obnubilé par la fraîcheur des premiers âges, qui impose un idéal de beauté à atteindre et, bien sûr, fait vendre des produits destinés à entretenir une image de jeunesse.

«À ton âge, tu te rends compte, on n'a pas idée!», disent bien souvent les proches de la grand-mère ou du grand-père qui veut «refaire sa vie». Une personne du troisième âge qui courtise une femme ou un homme plus jeune blesse souvent la pudeur de son entourage. On pourrait trouver un grand nombre d'exemples de ce genre qui révèlent la présence d'un troisième préjugé en vertu duquel il faut dominer sa sexualité à partir d'un certain âge. Celle-ci serait le privilège de l'âge adulte et, par la suite, on n'a même plus le droit d'en parler!

Selon Carette[25], la plupart des retraités d'aujourd'hui ont une existence marquée par de nombreux interdits, ce qui les amène à percevoir le corps qui vieillit de la manière qui vient d'être décrite. Il convient donc de cesser d'accepter docilement la dévalorisation qu'entraînent ces préjugés.

---

24. J. CARETTE (1999), *L'âge dort? Pour une retraite citoyenne*, Montréal, Boréal, p. 93-110.
25. *Ibid.*, p. 102.

La persistance des illusions

Le rêve du clochard[26]

Un clochard londonien cherche un endroit où passer la nuit. Il a dû se contenter d'un croûton de pain en guise de repas. Il arrive sur une des berges de la Tamise. Comme il tombe un léger grésil, il s'enveloppe soigneusement dans son manteau loqueteux. Au moment où il est sur le point de s'endormir, une Rolls Royce s'arrête. Une belle jeune femme en descend et lui dit: «Mon pauvre homme, allez-vous passer la nuit sur la berge? — Oui, répond le clochard. — Je ne puis pas supporter cela. Je vais vous emmener chez moi où vous passerez la nuit confortablement après avoir pris un bon dîner.»

La jeune femme presse le clochard de monter dans la voiture. Ils sortent de Londres et arrivent devant une immense résidence entourée de jardins. Un serviteur leur ouvre la porte et la jeune femme lui dit: «James, je compte sur vous pour installer cet homme dans le quartier des domestiques. Veillez à ce qu'il soit bien traité.» Ce que fait James.

Quelque temps après, la jeune femme déshabillée et prête à se mettre au lit se souvient soudain de son invité. Elle enfile une robe de chambre et emprunte un corridor pour se rendre au quartier des domestiques. Voyant passer un rai de lumière sous la porte de la chambre dans laquelle le clochard a été installé, elle frappe, entre et trouve l'homme éveillé. «Que se passe-t-il, brave homme, n'avez-vous pas reçu un bon repas? — Je n'ai jamais fait de meilleur repas de toute ma vie, madame. — Avez-vous assez chaud? — Oui, le lit est chaud et confortable. — Peut-être avez vous besoin de compagnie. Pourquoi ne me feriez-vous pas une petite place?» Sur ces mots, elle s'approche de lui. Alors l'homme recule pour lui faire une place et tombe dans la Tamise!

Comment cette histoire peut-elle aider à bien vieillir?

---

26. Cette histoire est tirée de A. De Mello (1994), *Quand la conscience s'éveille*, Montréal/Paris, Éditions Bellarmin/Desclée de Brouwer, p. 45.

Pour que la retraite soit heureuse, il faut au préalable avoir développé une vision claire et réaliste de l'avenir. Les spécialistes du vieillissement, qui ont acquis beaucoup d'expérience durant les trente dernières années, peuvent aider les futurs retraités à se prémunir contre certaines illusions au sujet de la retraite[27].

L'illusion de la retraite dorée est très répandue. Pour beaucoup, la retraite est un temps béni où l'on peut enfin faire ce que l'on veut. En réalité, bon nombre de retraités, inconsciemment, se créent peu à peu une existence factice, coupée de toute participation sociale. À la longue, le repos fatigue et l'inactivité épuise. L'ennui, l'isolement, la baisse de revenu et le sentiment d'inutilité dissipent bientôt ce rêve de la retraite dorée[28].

Une autre illusion courante consiste à s'enfermer dans le dilemme suivant: lutter pour rester jeune ou tout simplement accepter de devenir vieux. Pour les spécialistes du vieillissement, il s'agit plutôt de choisir entre bien vieillir et mal vieillir. Bien vieillir, c'est avancer, caresser sans cesse de nouveaux projets, avoir confiance en soi, refuser d'assumer des rôles stéréotypés, prendre des risques raisonnables en se basant sur son expérience. Quel contraste avec l'attitude qui consiste à rester sur place, à suivre une routine qui comporte des rôles fixés une fois pour toutes[29].

Une autre illusion, entretenue par notre complicité silencieuse, consiste à passer sous silence la maladie et les infirmités, comme si les retraités pouvaient rester toujours actifs et dynamiques. On a tellement voulu séparer la retraite de la vieillesse qu'on a fini par oublier cette dernière phase de l'existence. Aussi les retraités malades et très âgés sont-ils le plus souvent laissés à eux-mêmes, sans suivi ni soutien. Tôt ou tard, le retraité qui entretient ce genre d'illusion sera mis brutalement en face de la réalité. Mieux vaut tenter de se défaire de ces illusions le plus rapidement possible.

---

27. Plusieurs idées émises ici sont prises dans H. DE RAVINEL (1992), «Quand vient l'heure de la retraite», *Revue Notre-Dame* n° 2.
28. Ibid., p. 2.
29. Ibid., p. 11.

L'emprisonnement dans le conformisme

L'impôt du visage[30]

Il y a quelques années de cela, les autorités décrétèrent que tous les laids devraient porter des masques pour sortir dans la rue et déambuler dans les lieux publics. Comme nul ne désirait s'avouer disgracieux, presque tout le monde continua à vivre avec le visage découvert et l'État dut nommer des inspecteurs qui traquaient les contrevenants et leur imposaient de lourdes amendes. Aussitôt, la vente des cagoules connut un essor prodigieux et la moitié de la population se mit à vivre masquée pendant le jour.

Peu après, une autre loi vint renforcer la première: non seulement les gens laids devaient se couvrir en sortant de chez eux, mais ils devaient rester déguisés sur les lieux mêmes de leur travail afin de ne pas infliger leur disgrâce à leurs compagnons. Alors la fabrication des cagoules se diversifia: on en émit de toutes sortes, de toutes qualités, de tous prix et certains allaient même, par coquetterie, jusqu'à en changer plusieurs fois dans la journée.

Puis cet été, une troisième loi est venue aggraver cet état de fait: désormais doivent porter le masque tous ceux dont la maladie, la fatigue ou les contrariétés altèrent la physionomie, brouillent la mine. La loi cependant reste imprécise sur un point; elle ne dit pas à partir de quel degré d'altération de la peau le visage doit être caché. En quelque sorte, elle laisse le particulier libre de son choix; c'est à chacun de décider chaque matin devant sa glace s'il est assez beau et convenable pour sortir à figure découverte. Et malheur à l'étourdi, car si les citoyens ne savent pas déterminer exactement la qualité de leur visage, l'État le sait, lui, d'un savoir infaillible, et ses fonctionnaires font payer très cher les exhibitions injustifiées: amendes d'abord, prison ensuite; puis pour les récidivistes, incision au rasoir sur les joues, la bouche, le nez, les yeux. Si bien que presque tous vivent déguisés malgré la chaleur et

---

30. Cette histoire est tirée de P. BRUCKNER et A. FINKIELKRAUT (1977), *Le nouveau désordre amoureux*, Paris, Seuil, p. 189.

l'incommodation des cagoules. Une pléiade de mouchards et d'indicateurs, eux-mêmes masqués, s'est infiltrée parmi eux. Il paraît cependant que d'autres décrets sont en préparation: que le port du masque sera bientôt obligatoire 24 heures sur 24, que des contrôles inopinés auront lieu, à toute heure du jour et de la nuit, on murmure même que l'État veut maintenant modifier la silhouette des citoyens, qu'il élabore des cagoules qui cacheront le corps.

Comment cette histoire peut-elle aider à bien vieillir?

La pression sociale exercée sur les personnes du troisième âge en vue de les amener à se conformer à des modèles est forte et prend de multiples formes. D'ailleurs, pour pouvoir profiter de certains avantages sociaux, elles ne doivent pas s'écarter des normes édictées: l'incitation à la retraite, la participation à des programmes d'activités destinés aux personnes retraitées, la prise en charge par des professionnels de la santé, de la finance, etc.

Il faut une certaine indépendance pour ne pas se prendre dans cet engrenage, car le rebelle est souvent pointé du doigt ou exclus. Il faut une certaine force aussi pour résister à la peur d'être considéré comme un original et pour se risquer parfois à agir différemment des autres de son âge.

Le conformisme est difficile à vaincre parce que la plupart des gens ne sont pas conscients de leur besoin de conformisme. Ils vivent dans l'illusion qu'ils suivent leurs propres idées et penchants, que leurs opinions sont l'aboutissement de leur propre réflexion, que c'est une pure coïncidence si leurs idées sont partagées par la majorité[31], ce qui pourrait expliquer pourquoi, comme dans l'histoire, tant de personnes portent un masque pour être exonérées de l'impôt du visage!

Ces masques témoignent d'une forme d'impuissance, de recul, de limitation de soi. Ils banalisent les besoins, les intérêts et la contribution des retraités. Ils les amènent également à vivre les changements propres à cette période de la vie dans un anonymat qui les conduit à une perte progressive d'autonomie. En définitive, plus les retraités vieillissent, plus ils ont le sentiment d'être des «acteurs» en marge de la société. Voilà une forme de vieillissement à éviter.

---

31. E. FROMM (1968), *L'art d'aimer*, Paris, Éditions de l'Épi, p. 30.

L'enfermement dans des rôles sociaux

L'homme aux sept masques[32]

Il était une fois un homme qui portait sept masques différents, un pour chaque jour de la semaine. Quand il se levait le matin, il se couvrait immédiatement le visage avec un de ses masques. Ensuite, il s'habillait et sortait pour aller travailler. Il vivait ainsi sans jamais laisser voir son vrai visage.

Or une nuit, pendant son sommeil, un voleur lui déroba ses sept masques. À son réveil, dès qu'il se rendit compte du vol, il se mit à crier à tue-tête: «Au voleur! Au voleur!» Puis il se mit à parcourir toutes les rues de la ville à la recherche de ses masques.

Les gens le voyaient gesticuler, jurer et menacer la terre entière des plus grands malheurs s'il n'arrivait pas à retrouver ses masques. Il passa la journée entière à chercher le voleur, mais en vain. Désespéré et inconsolable, il s'effondra, pleurant comme un enfant. Les gens essayaient de le réconforter, mais rien ne pouvait le consoler.

Une femme qui passait par là s'arrêta et lui demanda:

— Qu'avez-vous l'ami? Pourquoi pleurez-vous ainsi?

Il leva la tête et répondit d'une voix étouffée:

— On m'a volé mes masques et, le visage ainsi découvert, je me sens trop vulnérable.

— Consolez-vous, lui dit-elle, regardez-moi, j'ai toujours montré mon visage depuis que je suis née.

Il la regarda longuement et il vit qu'elle était très belle. La femme se pencha, lui sourit et essuya ses larmes. Pour la première fois de sa vie, l'homme ressentit, sur son visage, la douceur d'une caresse.

Comment cette histoire peut-elle aider à bien vieillir?

---

32. Cette histoire de Tadjo est rapportée dans J. MONBOURQUETTE (1997), *Apprivoiser son ombre: le côté mal aimé de soi*, Ottawa, Novalis, p. 38.

La notion de personnalité telle que définie par Jean Monbourquette[33] aide à comprendre ce que signifie, dans la vie, le fait de porter ou d'enlever un masque.

Les rôles assumés par une personne — conjoint, parent, ami, citoyen ou travailleur — sont dictés par son milieu, sa culture et constituent son moi social. Lorsqu'on assume un rôle, on est souvent amené à adopter des attitudes et des comportements qui ne sont pas ceux que l'on aurait naturellement. L'écart entre ce qu'une personne est en réalité et ce qu'elle montre d'elle-même dans l'accomplissement de son rôle constitue son «masque» ou son ombre.

Une personne qui, avant le mitan de la vie, assume divers rôles est immanquablement amenée, par peur d'être rejetée par ses proches ou par ses pairs, à refouler un sentiment, une qualité, un talent, un trait de caractère qui ne lui paraissent pas appropriés aux rôles qu'elle remplit. Les concessions auxquelles consent ainsi la personne s'inscrivent dans un processus naturel d'adaptation au milieu et sont à l'origine de son ombre normale. On ne parle pas ici de concessions qui excèdent les limites de l'adaptation normale et qui sont d'ordre pathologique.

Quand arrive le mitan de la vie, les occasions de modifier les rôles de parent, de travailleur ou de citoyen sont nombreuses. La personne peut s'écarter des rôles conventionnels. Le temps est venu de laisser tomber les masques et de laisser apparaître les ombres refoulées. L'abandon des rôles sociaux ne va pas de soi. Il arrive même que l'on devient angoissé et vulnérable comme l'homme de l'histoire. Néanmoins, il semble bien que c'est un passage obligé pour donner progressivement à ses ombres — à sa vulnérabilité, par exemple — la place qui leur revient dans le cheminement vers la connaissance et l'acceptation intégrale de soi et vers un vieillissement heureux.

---

33. *Ibid.*, p. 40-53.

La tendance à vouloir contrôler l'avenir

Et alors on étouffe la vie[34]

Un sage poète indien, également peintre et musicien, était en Inde un ardent promoteur de la tolérance. Il trouvait son inspiration dans les sciences de la vie quotidienne qu'il peignait, qu'il mettait en musique ou qu'il racontait comme de petites historiettes. À ses disciples qui l'interrogèrent un jour sur la violence, le sage dit:

«Pourquoi la lampe s'est-elle éteinte?
Je l'ai couverte de mon manteau
Pour la mettre à l'abri des tempêtes.
Et la lampe alors s'est éteinte.

Pourquoi la fleur s'est-elle fanée?
Je l'ai pressée sur mon cœur
Angoissé d'un amour inquiet.
Et la fleur alors s'est fanée.

Pourquoi le fleuve s'est-il tari?
J'ai bâti autour de lui des digues
Pour le garder à mon seul service.
Et le fleuve alors s'est tari.

La corde du luth s'est brisée: pourquoi?
Je voulais lui arracher un son
Qu'elle ne pouvait donner.
La corde alors s'est brisée.»

Comment cette histoire peut-elle aider à bien vieillir?

_____

34. Tiré du recueil de R. TAGORE (1963), Le jardinier d'amour; suivi de La jeune lune, Paris, Gallimard, p. 92.

Refusant d'accepter la réalité telle qu'elle est et voulant la plier à ses désirs, la personne de l'histoire recourt à des moyens qui contreviennent à l'ordre des choses. L'acceptation de la réalité la conduirait, au contraire, à dire oui à ce qui est et à ce qui arrive: accepter que la lampe s'éteigne, que la fleur se fane, que le fleuve coule vers la mer et que le luth ait un registre limité.

Cette manière de percevoir les événements est propre aux gens qui connaissent un vieillissement heureux. Elle est presque innée chez les flegmatiques, mais toute personne peut parvenir à l'acquérir. Voici, à titre d'exemple, une situation fréquente chez les personnes d'un certain âge. Elle illustre les conséquences de l'acceptation ou du refus de la réalité.

À la suite d'un accident, une dame dans la soixantaine doit être traitée pour une fracture à la hanche. Cette mauvaise nouvelle la plonge dans une profonde consternation. L'effet produit est encore amplifié par les scénarios les plus dramatiques où son imagination la conduit.

Certes, il est naturel d'éprouver consternation, tristesse, déni et même colère à la suite d'un diagnostic défavorable. Mais en apprenant à accepter cette réalité, on arrive à mettre des forces constructives au service de son mieux-être. En revanche, en s'obstinant à nier la réalité, on risque de retarder un processus de guérison qui requiert la mobilisation de toutes les ressources vitales.

Le refus de ce qui est et l'illusion de pouvoir se rendre maître de l'avenir empêchent de tenir compte de l'ordre des choses et d'aller sereinement vers la réalisation de ce qui serait bon pour soi.

Les préjugés sur l'âge

Le vase au fond du lac[35]

Il était une fois un roi extrêmement fier, autoritaire et exigeant. Il n'était pas heureux, car, se disait-il, «mes sujets m'obéissent aveuglément parce que je suis jeune et fort; mais quand je serai devenu un vieillard, ils se révolteront.» Aussi faisait-il de grands efforts pour paraître toujours jeune: il teignait ses cheveux, faisait usage de pommades de toutes sortes et buvait force élixir de jeunesse. Mais le temps continuait son œuvre. Le roi constata un jour que ses proches serviteurs, qui étaient de son âge, avaient des rides et des cheveux blancs, et donc qu'ils pouvaient lire sur leur propre visage son âge réel à lui. Alors, il leur fit couper la tête. De plus, il décréta que tous les cheveux blancs avaient trois jours pour quitter le royaume. Après ce délai, ils auraient la tête tranchée, eux aussi. Toutefois, le roi assortit son décret d'une restriction: si un fils repêchait le vase d'or tombé au fond du lac, son père aurait la vie sauve; s'il échouait, tous deux devraient mourir.

Un grand nombre de vieillards s'enfuirent ou se cachèrent. Et un aussi grand nombre de fils et de pères eurent la tête tranchée, aucun jeune homme n'ayant pu relever le défi. Un garçon, de bon cœur, alla trouver son père qu'il avait soigneusement caché dans la montagne et lui présenta le problème du vase à repêcher: de la berge on le voyait bien, mais aucun plongeur n'avait jusque-là été capable de l'atteindre. Le vieil homme émit l'hypothèse que le vase pourrait être dissimulé dans les branches de l'arbre sur la berge. C'est son reflet qu'on essayait d'attraper.

Le jeune s'empressa de se rendre au château pour subir l'épreuve, monta dans l'arbre, décrocha le vase et se présenta au roi à qui il parla fièrement du génie de son père. Le roi resta songeur un moment, puis comprit que les hommes âgés ont pour eux

---

35. Cette histoire arménienne est une adaptation du récit figurant dans *Mille ans de contes*, Paris, Éditions du Club France Loisirs, 1990, p. 319.

la sagesse. Dès lors, il abrogea son décret et rappela dans son conseil ceux qu'il avait forcés à s'enfuir. Depuis ce jour, dans ce pays, on respecte les cheveux blancs.

Comment cette histoire peut-elle aider à bien vieillir?

Le despote du conte estime que la décrépitude atteint tous les gens dès les premiers signes de vieillissement. Cette manière de voir, partagée par un grand nombre de personnes, comporte une certaine part de vérité. Si on considère la population dans son ensemble, les premiers signes de vieillissement apparaissent entre 28 et 36 ans et les fonctions biologiques décroissent, en moyenne, de 3 à 6 % par décennie[36].

Cependant, si on va au-delà des données statistiques qui ne représentent que la moyenne des populations étudiées, on se rend compte qu'on ne vieillit pas tous au même rythme et que la différence est encore plus marquée dans la population vieillissante. Des facteurs génétiques expliqueraient environ 30 % des écarts entre les individus. Le mode de vie entre également en ligne de compte.

Des études épidémiologiques ont montré que le processus de vieillissement peut ralentir si la personne adopte un mode de vie sain. Ainsi, une personne de 59 ans qui a un mode de vie sain se trouve au même point sur la courbe du vieillissement que la moyenne des gens de 47 ans qui ont un mode de vie laissant à désirer. Par contre, une personne de 59 ans qui n'a pas un mode de vie sain se trouve au même point sur la courbe du vieillissement que la moyenne des gens de 71 ans[37].

La possibilité de ralentir le processus de vieillissement par un mode de vie sain ouvre de nombreuses perspectives, si on considère l'écart existant entre l'espérance de vie globale de la population et son espérance de vie en bonne santé. En moyenne, les hommes ont une espérance de vie globale de 77 ans, tandis que les femmes en ont une de 83 ans. Les données démographiques révèlent que, en moyenne, les hommes et les femmes vivent en assez bonne santé jusqu'au début de la soixantaine. Par contre, pendant les quinze à vingt dernières années de leur vie, ils sont sans cesse confrontés à des troubles de santé[38]. Le fait de mener une vie saine dès avant

---

36. Les données rapportées ici sont tirées en grande partie de M. F. ROIZEN (1999), *Real Age, Are you as young as you can be?*, New York, Cliff Street Books/Harper Collins.
37. *Ibid.*, p. 14.
38. J. CARETTE, *op. cit.*, p. 140.

la retraite et pendant les années suivantes devrait avoir pour effet d'allonger la durée de vie en bonne santé et d'empêcher l'entrée prématurée dans le quatrième âge.

Trop souvent, la personne ignore les connaissances actuelles qui pourraient l'aider à vivre heureuse jusqu'à un âge très avancé. Sa perception de son propre vieillissement reproduit les préjugés courants sur l'âge.

1.3 Reconnaître les diverses façons d'éviter un changement réel

La fuite de sa réalité

Les deux myopes[39]

> Il était une fois deux myopes qui ne voulaient pas admettre leur handicap; au contraire, chacun voulait prouver à l'autre qu'il avait une très bonne vue. Ils apprirent un jour qu'une famille voisine allait faire porter un ex-voto au temple. Chacun s'enquit en secret de l'inscription qui y serait gravée. Le jour où le panneau allait être mis en place, ils arrivèrent ensemble au temple. Levant les yeux, l'un des deux s'exclama:
> — Quel beau panneau! «Glorieuse est ta renommée», dit l'inscription en quatre gros caractères.
> — Ce n'est pas tout, ajouta l'autre, il y a encore quelques rangées de petits caractères que vous n'avez pas vus. Ces caractères disent le nom du calligraphe et la date de l'œuvre.
> Les entendant, l'une des personnes présentes entreprit avec eux une conversation.
> — De quoi parlez-vous donc?
> — Nous discutons de l'inscription que nous lisons sur le panneau d'ex-voto.
> — Vous vous trouvez devant un mur nu. Le panneau n'est pas encore en place.
> Tout le monde éclata de rire.

Comment cette histoire peut-elle aider à bien vieillir?

---

39. Cette histoire est tirée de *Fables de la Chine antique*, Beijing (Chine), Éditions en Langues étrangères, 1980, p. 138.

On peut se demander pourquoi nous voulons ainsi fuir notre propre réalité. Arrive un moment où, apercevant des signes de vieillissement, la personne réalise que le temps qui lui reste à vivre est compté. Il est alors tentant de fuir la réalité en adoptant des comportements dissimulateurs. La personne espère ainsi conserver sa marge de manœuvre et, de la sorte, maintenir une image d'elle-même qui la valorise. Jusque-là, elle dirigeait sa vie suivant le plan qu'elle s'était dressé. Elle agençait dans sa vie un certain nombre d'éléments en fonction de l'allure qu'elle voulait lui donner[40]: choix du conjoint, genre de travail, type d'amis, genre de loisirs, lieu de résidence, genre de vêtements ou de voiture, etc. Si elle n'avait pas les moyens de ses ambitions, elle avait toujours la ressource de modifier ses buts[41].

Après un certain âge, la personne doit de plus en plus faire face à des événements imprévus et à des pertes irrémédiables qui ont des répercussions sur l'image qu'elle a d'elle-même; elle s'efforce par tous les moyens de la conserver, évitant ainsi de s'accommoder à sa nouvelle situation. C'est le cas des deux myopes de l'histoire. C'est aussi le cas, par exemple, de l'homme de 50 ans qui, pour garder une image séduisante de lui-même, s'impose un régime alimentaire draconien, s'habille selon la dernière mode, roule dans une voiture sport et tente de séduire une femme dont il pourrait être le père! Une simulation hasardeuse, est-on tenté de dire, car avec l'âge, ses tentatives visant à se faire passer pour un jeune premier auront de moins en moins de succès.

Cet effort ultime du moi pour garder son image, même s'il présente, à première vue, certains avantages, risque de retarder le moment où la personne aura une perception d'elle-même susceptible de favoriser un vieillissement harmonieux[42].

---

40. C. VANDENPLAS-HOLPER, *op. cit.*, p. 190.
41. *Ibid.*, p. 191.
42. *Ibid.*, p. 192.

Sous la lumière[43]

Un soir, les villageois virent Rabya qui, courbée, cherchait quelque chose dans la rue en face de sa hutte. Ils lui dirent: «Pauvre femme! Quel est votre problème? Que cherchez-vous, au juste?»

Elle répondit: «J'ai perdu mon aiguille.» Tous se mirent à quatre pattes et l'aidèrent à chercher.

Alors, quelqu'un lui dit: «Rabya, la rue est grande, la nuit commence à descendre, bientôt il fera noir et une aiguille est une si petite chose, pouvez-vous indiquer plus précisément où elle est tombée?» Rabya répondit: «L'aiguille est tombée à l'intérieur de ma maison.» Les villageois reprirent: «Êtes-vous folle? Si l'aiguille est tombée à l'intérieur de la maison, pourquoi la cherchez-vous ici?» Elle dit: «Parce que la lumière est ici. À l'intérieur, il fait noir.» Quelqu'un dit: «Oui, mais Rabya, même si la lumière est ici, comment peut-on trouver l'aiguille si elle n'a pas été perdue ici? Le mieux est d'apporter la lampe en dedans, alors on pourra trouver l'aiguille là où elle est.» Rabya se mit à rire: «Vous êtes très intelligents pour les petites choses, dit-elle. Quand allez-vous utiliser votre intelligence pour votre vie intérieure?»

Comment cette histoire peut-elle aider à bien vieillir?

---

43. Cette histoire soufie daterait du VIIIᵉ siècle. On ignore qui en est l'auteur.

La manière dont Rabya amène les gens de son entourage à prendre conscience de leur vie intérieure illustre bien la pensée de Jung[44]: «Ce n'est pas en regardant la lumière qu'on devient lumineux, mais en plongeant dans son obscurité. Mais ce travail est souvent désagréable, donc impopulaire».

Quelle est donc cette obscurité ou cette ombre dont parle Jung? On peut regarder l'ombre comme l'envers du moi social. Le moi social pleinement formé, au mitan de la vie, oblige en quelque sorte la personne à adopter des rôles, des attitudes et des comportements qui lui procureront l'estime de son entourage. Ce faisant, elle refoule des sentiments, des émotions, des besoins, des idées qui demeurent néanmoins bien vivants, mais enfouis au fond d'elle-même. Ce sont ces parties de soi refoulées qui constituent l'ombre de la personnalité.

Au moment de la retraite, le moi social perd de son importance. La prise de conscience du temps qui passe conduit la personne à faire un bilan, à reconsidérer ses rêves, ses idéaux, ses projets. Rares sont ceux qui n'éprouvent pas une vague insatisfaction en voyant l'écart qui existe entre ce qu'ils sont devenus et ce qu'ils souhaitaient être. Il est alors tentant de fuir une réalité décevante et d'essayer de «refaire sa vie» en accomplissant des actes qui relèvent du moi social.

On peut au contraire tenter de redécouvrir des parties de soi qui ont été refoulées et ainsi ne pas se limiter à changer ce qui est extérieur à soi-même. En pareil cas, le moi social doit lâcher prise, cesser de vouloir tout régenter. Il devient alors possible de réintégrer dans sa zone consciente des parties de soi — son affirmation, sa tendresse, son indépendance, par exemple — et de se défaire de conditionnements qui sont à l'origine du refoulement, telles l'emprise sur soi de l'autorité et l'influence des stéréotypes.

La connaissance de l'existence de son ombre et de ses effets est un préalable à l'exploitation du potentiel enfoui dans la partie cachée de la personnalité. Elle est également utile quand on cherche à changer ses habitudes de vie.

---

44. Telle que citée par J. MONBOURQUETTE, *Apprivoiser son ombre*, p. 9. Plusieurs idées émises dans les paragraphes qui suivent sont prises dans le même ouvrage, p. 40-53.

La peur de son ombre[45]

Il était une fois un homme qui avait peur de l'ombre de son corps et qui avait pris en horreur les traces de ses pas. Pour y échapper, il se mit à courir. Or, plus il faisait de pas, plus il laissait de traces; plus il courait vite, moins son ombre le quittait. S'imaginant qu'il allait encore trop lentement, il ne cessa de courir toujours plus vite sans se reposer. À bout de forces, il mourut. Il ne savait pas que, pour réduire le nombre de ses traces, il lui aurait suffi de se tenir tranquille.

Comment cette histoire peut-elle aider à bien vieillir?

---

45. Adaptation d'un récit de R. BLONDIN, *op. cit.*, p. 195.

À une époque de changement dans notre vie, que ce changement soit subi ou désiré, la pression sociale nous pousse constam-
ment à aller de l'avant et à recommencer: il faut trouver rapidement un nouveau conjoint, un autre travail, un nouveau domicile,
etc. On ne prend pas le temps de prêter attention à ce qui se passe
en soi, alors qu'on quitte quelque chose.

La peur plus ou moins consciente de ce qui peut surgir de l'intérieur d'elle-même pousse la personne à s'occuper de ce qui lui
est extérieur afin d'oublier l'inconfort de la situation dans laquelle
elle se trouve. En s'absorbant dans des activités qui la maintiennent
à la superficie d'elle-même, la personne en arrive alors à faire taire
son malaise, mais pendant un certain temps seulement.

L'activisme n'est pas une solution quand il s'agit d'affronter le
malaise occasionné par la retraite, une séparation, la perte d'un
emploi, etc. Faire face à la réalité demande du courage. Une perte
ou une rupture invitent à un lâcher-prise qui est souvent déchirant.

La durabilité du changement dépend d'abord de la manière
dont on rompt avec la situation indésirable[46]. Mieux la rupture est
«digérée», plus le changement a de chances d'être durable.

---

46. M. ROBERGE, *op. cit.*, p. 70.

L'adoption de solutions toutes faites

Mes poules sont encore malades[47]

Un jour, un homme se rendit chez son rabbin se plaignant que ses poules avaient une maladie et crevaient l'une après l'autre.

«Que donnes-tu à manger à tes poules? demanda le rabbin.
— Du maïs, répondit l'homme.
— Mais comment donnes-tu ce maïs à tes poules, cru ou cuit?
— Je leur donne cru, répondit l'homme.
— C'est à ne pas faire, dit le rabbin, donne-leur du maïs cuit à l'avenir.»

Mais les poules continuaient à crever. Quelque temps après, l'homme retourna chez le rabbin qui lui demanda:

«Que donnes-tu à tes poules?
— Comme tu m'as dit, du maïs cuit, dit l'homme.
— Le leur donnes-tu salé ou sans sel?
— Eh bien, sans sel jusqu'ici.
— C'est l'erreur, dit le rabbin, donne-leur du maïs cuit et salé.»

Peu après, l'homme revint et se plaignit au rabbin:

«Rabbin, je n'ai plus que cinq poules, toutes les autres sont mortes.
— Eh bien, dit le rabbin, console-toi, mon fils. Tant qu'il te restera des poules, j'aurai encore de bons conseils pour toi.»

Comment cette histoire peut-elle aider à bien vieillir?

---

47. Cette histoire provient de l'Europe centrale. Elle est rapportée par E. DREWERMANN (1994), *Quand le ciel touche la terre: prédications sur les paraboles de Jésus*, Paris, Stock, p. 39.

La retraite peut apparaître comme une chance si on sait la gérer et si on emploie son temps à bon escient. Mais elle peut être pleine de risques si, comme l'homme de l'histoire, on se laisse prendre en charge par des «animateurs» inspirés, par des gestionnaires et autres «ingénieurs sociaux»[48].

La propension à se laisser prendre en charge serait due principalement à l'influence insidieuse du discours âgiste tenu depuis plusieurs années par des moralistes, des démographes, des économistes et des gérontologues. Ce discours se serait trop limité à décrire les difficultés, les problèmes, les manques et les besoins, les déficits et les handicaps des gens âgés[49].

Ainsi, ceux qui voulaient favoriser l'intégration sociale en améliorant les conditions d'existence des retraités ont contribué, sans le vouloir, à réduire la vie à la simple existence et à encourager une attitude stérile. Aussi beaucoup de gens dans la soixantaine sont-ils devenus d'éternels oisifs et des témoins passifs dans une société qui a pourtant bien besoin d'eux.

Il est évidemment nécessaire de reconnaître les difficultés inhérentes au vieillissement et d'améliorer les conditions d'existence des personnes âgées. Mais il importe aussi d'accroître la qualité de vie et d'être. La vieillesse n'est pas une période de la vie qui débouche sur le néant, mais plutôt l'occasion d'une maturation toujours libératrice parce que toujours inachevée[50].

D'où l'importance de se défaire, individuellement et collectivement, de la mentalité âgiste qui empêche la personne âgée de se prendre en main.

---

48. Les idées émises dans les paragraphes suivants sont prises en grande partie dans J. CARETTE, *op. cit.*
49. *Ibid.*, p. 43.
50. *Ibid.*, p. 83.

Les souris veulent s'en sortir[51]

Lors d'une réunion, les souris discutaient de la meilleure façon de se parer des attaques du chat. Plusieurs suggestions étaient débattues, lorsqu'une souris d'une certaine prestance se leva et, haussant pompeusement la voix, dit: «Je crois avoir un plan qui nous assurerait la sécurité dans l'avenir. Il suffirait de glisser une clochette autour de la queue du chat, ce qui nous avertirait de ses moindres déplacements.»

La proposition fut chaleureusement applaudie et il fut décidé d'adopter la suggestion, lorsqu'une souris «sage» se leva et, s'adressant à l'ensemble de l'auditoire, dit: «Je suis aussi d'avis que ce plan est admirable, mais qui va se charger de glisser la fameuse clochette autour de la queue du chat?»

Comment cette histoire peut-elle aider à bien vieillir?

---

51.   Cette fable est attribuée à Ésope.

Comme on le dit parfois de programmes, de plans d'actions ou même de suggestions de son entourage: «C'est beau sur papier, c'est théoriquement souhaitable, mais non adapté à la situation concrète.» La situation des souris ne nous est-elle pas familière? En voici deux exemples. Le premier concerne une dame seule de 74 ans qui vient de s'installer dans une résidence pour personnes retraitées. En guise de cadeau d'anniversaire, ses enfants ont payé, pour un an, les services hebdomadaires d'entretien ménager de son petit appartement. La septuagénaire fait part de sa déception à ses amies: elle a toujours aimé les tâches ménagères et tient à demeurer autonome. Le deuxième exemple renvoie à une situation très commune. Un homme vit le deuil de sa conjointe, morte d'un cancer il y a plusieurs mois. Il est désœuvré et tourne en rond. Son entourage le presse de refaire sa vie et de mettre un terme à son veuvage.

À n'en pas douter, les solutions proposées sont séduisantes. D'abord, elles éveillent l'intérêt. On est sur le point de les approuver, puis on décide de prendre le temps de les examiner. Alors on constate que ces solutions sont des idées toutes faites.

Des recherches sur les stéréotypes «âgistes»[52] montrent que les personnes âgées, leurs proches et les intervenants eux-mêmes sont influencés par ces stéréotypes. Les stéréotypes les plus fréquents sont les suivants: les personnes qui avancent en âge souffrent d'insécurité et de solitude, sont plus sensibles que les autres, s'attendent à ce que leurs enfants s'occupent d'elles, prennent beaucoup de médicaments et ont peur de l'avenir.

La question des stéréotypes éveille notre vigilance, même à l'égard des études, portraits-types et statistiques sur le vieillissement qui sont de plus en plus accessibles. Certes, il faut tirer parti de cette information, mais elle rend compte de tendances et de comportements moyens. Si elle éclaire la situation de la personne, elle peut ne pas s'appliquer directement à elle. Elle indique des pistes d'intervention qui ne conviennent pas nécessairement à toutes les situations.

Les solutions des autres peuvent nous empêcher d'aller vers ce qui est bon pour nous.

---

52. J.-L. Hétu (1988), *Psychologie du vieillissement*, Montréal, Éditions du Méridien, p. 25.

1.4 Mettre en œuvre des conditions permettant d'aller vers autre chose

Des relations respectueuses entre générations

Le coffre de cèdre de tante Rébecca[53]

Lorsqu'elle se fiança, ma grand-tante reçut de ses parents un coffre de cèdre. C'était la coutume dans la famille. Aussitôt, tante Rébecca commença à préparer son trousseau. Comme elle allait se marier l'année suivante, elle mit dans son coffre sa robe de mariée. Comme elle espérait avoir des bébés, elle y mit aussi une robe de baptême. Enfin, comme elle et son fiancé comptaient bien avoir un jour une maison bien à eux, elle broda des nappes, des taies d'oreillers qu'elle déposa dans son coffre. C'est comme si ce dernier se remplissait de projets. Vint enfin le grand jour: tante Rébecca sortit du coffre sa belle robe de mariée. Environ un an plus tard, le premier bébé arriva et elle alla chercher la robe de baptême. Sept ou huit ans plus tard, ils emménageaient dans leur nouvelle maison. Alors le coffre se vida littéralement, tante Rébecca y puisant les taies d'oreillers et les nappes qu'elle avait brodées. Mais le coffre ne demeura pas vide longtemps. Au bout de quelques années, elle y déposa les premiers dessins du plus vieux des enfants. Puis ce furent les photos des premiers pas. Ainsi au fil des ans, le coffre se remplit de nouveau. Mais cette fois, il était plein, non de projets, mais de souvenirs.

Quand beaucoup plus tard, Rachelle, la fille aînée, parla à son tour de se fiancer, Rébecca, fidèle à la coutume de la famille, s'empressa de lui offrir son coffre de cèdre. Elle devançait ainsi un secret désir de sa fille. Celle-ci faisait déjà le projet de commencer la confection de sa robe de mariée. Il fallait cependant faire de la

---

53. La première partie de cette histoire est tirée de C. Madore (1998), «Oser le désir», dans P. Daviau (éd.), *Une sagesse pour aujourd'hui*, Actes du 3ᵉ congrès de l'École française de spiritualité, Trois-Rivières (Québec), 1997, Montréal, Médiaspaul, p. 135. Le dernier paragraphe de ce récit est des auteurs.

place à l'intérieur du coffre, et Rachelle savait à quel point sa mère était attachée aux souvenirs accumulés au fil des ans. Les deux femmes sortirent les trésors du coffre avec grand soin en savourant un à un les souvenirs qui leur remontaient à la mémoire. Puis, d'un commun accord, elles aménagèrent joliment un coin du grenier qui serait réservé au patrimoine familial. Le coffre allait être de nouveau libre.

Comment cette histoire peut-elle aider à bien vieillir?

Tante Rébecca a dû aller à l'école de la sagesse. Elle sait que les souvenirs appartiennent au passé et elle trouve la force de s'en détacher pour mieux vivre dans le présent. À son tour, Rachelle pourra remplir le coffre d'objets qui lui permettront de réaliser ses propres projets, en s'inspirant sans doute de la sagesse et des qualités de cœur de sa mère. Rébecca, quant à elle, peut envisager d'autres projets en rapport avec son étape de vie.

En des termes plus concrets, on pourrait interpréter le message symbolique de Rébecca de la façon suivante: être suffisamment loin des membres de sa famille pour leur permettre de vivre leur vie à leur guise; être suffisamment proche pour subvenir à certains de leurs besoins et pour goûter la présence de ses enfants et de ses petits enfants.

Les gens qui vieillissent bien savent ce qu'il faut attendre des relations familiales ou amicales: les enfants adultes procurent en effet un sentiment de sécurité; le conjoint ou l'ami intime répondent au besoin d'intimité; et c'est grâce aux contacts fréquents avec des amis que se développe le sentiment d'être reconnu et que s'accentue le plaisir de vivre.

Au début de la vieillesse, il apparaît utile de mettre progressivement en œuvre les conditions qui favorisent l'établissement de relations qui nous enrichissent.

Le choix d'un mode de vie

Avec ou sans valises[54]

Cette histoire se passe dans un pays bien loin d'ici, là où les voyageurs vont à pied sur de grandes routes de terre battue. Un voyageur arrivait à un carrefour, chargé d'un grand nombre de valises. Il s'assied pour se reposer à l'ombre d'un arbre sur le bord de la route, à côté d'un étranger dont on pouvait voir à ses bottines usées qu'il était un habitué des longs chemins. Mais il n'avait pas de bagages, sinon un tout petit sac qu'il pouvait porter en bandoulière. Étonné, le voyageur lui en fit la remarque. Il était le seul au pays à voyager les mains libres.

L'étranger ne parut pas surpris de la question. Et bien que réticent à parler de lui, il engagea la conversation: le voyageur avait un regard franc qui lui inspirait confiance. Aussi sur le ton de la confidence, il se mit à lui raconter un événement de sa vie qui fut, affirmait-il, déterminant.

Dans un passé encore récent, il allait lui aussi, lourdement chargé. Tant pour ses voyages d'affaires que pour ses escapades personnelles. Il ne voulait manquer de rien, surtout disposer de tout: des costumes et des accessoires accordés à chaque circonstance ainsi qu'à sa personnalité du moment.

Un jour qu'il se reposait, étendu dans l'herbe après un repas, il entendit une voix familière qui se plaignait d'une grande fatigue. Il n'y avait personne autour. La voix était insistante. L'étranger réalisa du coup qu'il se parlait à lui-même. Lui-même, depuis des années, n'arrêtait pas de se plaindre qu'il était toujours fatigué. Fatigué de marcher pour son travail et fatigué de marcher pour aller ensuite se reposer. Et fatigué de toutes ses valises qu'il traînait pour se rassurer — pour se convaincre qu'il serait bien à la mesure de ce qu'il croyait être. Laissant toutes ses valises à l'endroit où il s'était assoupi, il reprit aussitôt la route, une simple besace à la main.

---

54. Adaptation d'une histoire transmise par un collègue sans la mention d'un nom d'auteur.

Ayant terminé son récit, l'étranger se releva et partit d'un pas léger. Le voyageur regarda un instant ses valises, prit avec lui la plus petite et se remit en route, lui aussi.

Comment cette histoire peut-elle aider à bien vieillir?

Au début de la retraite, il convient de s'astreindre à préparer un budget qui garantit un certain niveau de vie et une sécurité financière convenable.

Certains tiennent à garder le niveau de vie qu'ils avaient avant la retraite. Pour ce faire, ils ont besoin de revenus supplémentaires qui leur permettront de satisfaire à leurs obligations. Ils envisagent leur vieillesse dans le prolongement de la vie qu'ils ont menée jusque-là.

D'autres s'emploient plutôt à modifier leur mode de vie. Bien souvent, ils trouvent que le temps et l'effort qu'ils ont mis pour gagner l'argent dont ils avaient besoin pour maintenir leur mode de vie étaient disproportionnés par rapport à la satisfaction qu'ils en retiraient. La retraite leur apparaît comme une occasion tout indiquée pour commencer à mener une vie plus simple, plus libre, et même plus équilibrée sans que leur sécurité ou leur plaisir de vivre en soient affectés.

Simplifier sa vie de façon à être plus heureux est une idée qui est partagée par 10 à 15 % de la population des pays développés. Depuis quelques années, de nombreux ouvrages traitant de la «simplicité volontaire» ont été publiés[55]. Bien que cette démarche soit avant tout personnelle, les auteurs de ces ouvrages dégagent des lignes de conduite qui permettent de simplifier le mode de vie.

- Échapper à l'emprise d'une publicité omniprésente. Les Québécois passent en moyenne 25 heures par semaine devant leur écran de télévision et sont exposés à environ 10 minutes de publicité par heure.
- Dresser la liste des objets, des situations et des habitudes que l'on considère comme non essentiels à son bien-être et à son bonheur (domicile, moyen de transport, loisirs, vêtements, alcool, tabac, etc.) et établir une marche à suivre réaliste et progressive comportant la suppression d'un ou deux éléments jugés non nécessaires.

---

55. Lire à ce sujet *Revue Notre-Dame* n° 1, mars 2000.

- Adopter un mode de vie moins individualiste et associer ses efforts à ceux d'autres personnes qui désirent, elles aussi, vivre plus simplement.

Vue dans cette perspective, la simplicité volontaire permet de vivre en conformité avec ses convictions. Elle peut assurer une vieillesse heureuse parce qu'elle procure plus de liberté, plus de temps pour améliorer la qualité de son existence et pour participer à l'édification d'une société meilleure.

La vigilance par rapport aux buts poursuivis

La déconvenue du voyageur endormi[56]

Un voyageur se rendait à un encan dans son village natal. Son but était d'acquérir une vieille maison et d'y vivre tout doucement pour le reste de ses jours. Comme il était épuisé d'avoir marché depuis le petit matin, il héla une diligence pour parcourir avant midi les cinq lieues qui restaient encore. «Direction ouest, le village de Morille», ordonna-t-il au cocher, en se laissant tomber lourdement sur la banquette, puis en mettant ses jambes fatiguées sur celle d'en face.

Le cocher, ravi, fit claquer son fouet en sifflant de joie. Jamais il n'avait eu à se rendre jusqu'à Morille, mais il connaissait cette route qui le menait, de temps à autre, pas très loin de Morille, à l'auberge Chez Simone. Il y ferait un arrêt au retour. Ce projet l'excitait. Le temps était clair, les chevaux en grande forme, la diligence allait bon train. Elle arriva bientôt à un carrefour. Une question se posa: pour aller à Morille, fallait-il prendre à gauche ou à droite? Le cocher se retourna vers son passager: «À gauche ou à droite?» Le voyageur dormait profondément et les cris ne parvinrent pas à le réveiller. «Qu'importe», se dit le cocher sans plus de réflexion. «L'auberge Chez Simone est à quelques kilomètres d'ici. Tout en prenant un verre, je m'informerai de la route et je repartirai comme si de rien n'était.»

Le cocher but un verre, puis deux, puis trois. Il sortit son jeu de cartes et s'attabla. Quand il remonta dans la diligence, quelques heures plus tard, il vit avec satisfaction que son client dormait toujours. Étourdi par l'alcool, il fit partir les chevaux, mais lâcha rapidement la bride. Les chevaux firent des incartades, puis s'emballèrent. Une roue de la diligence se détacha à l'avant. Et la diligence alla verser dans le fossé.

---

56. Ce récit a été rédigé par les auteurs à partir des témoignages de plusieurs personnes ayant fait l'expérience d'une déconvenue.

Sous le choc, le voyageur se réveilla évidemment, sans savoir ce qui s'était passé, ni surtout qu'il était lui-même responsable de ce malheur. Ne s'était-il pas endormi, laissant au cocher le soin de le conduire? Ce jour-là, il ne put se rendre à son village natal.

Comment cette histoire peut-elle aider à bien vieillir?

Au terme de l'Année internationale des personnes âgées (1999), les aînés ont été invités à se mobiliser autour d'une conception contemporaine du vieillissement que le Bureau québécois de cette organisation formule de la façon suivante:

> vieillir, c'est gagner, gagner en connaissances, en expérience, en sagesse... vieillir, c'est vivre à un rythme plus humain... vieillir c'est avoir davantage le choix de ses activités... avoir plus de contrôle sur son agenda, sur ses horaires... vieillir c'est avoir plus de possibilités de faire ce que l'on aime, ce que l'on a toujours rêvé de vivre... vieillir c'est avoir plus de temps pour s'impliquer socialement... vieillir c'est avoir le loisir de bénéficier des liens tissés tout au cours de sa vie[57].

Les gens vieillissants ont besoin de structures fonctionnelles pour atteindre les objectifs et profiter des avantages dont il vient d'être question. Pour reprendre l'image du cocher, les aînés ont la possibilité de monter dans plusieurs diligences. Celle du Bureau québécois porte l'inscription: «Bien vieillir ensemble» et est particulièrement attrayante. Cette structure fonctionnelle est constituée de 17 tables de concertation réparties dans tout le Québec. Elles permettent de prendre des initiatives dans le monde de la santé, du travail, des médias et dans les administrations municipale et gouvernementale en fonction de deux objectifs majeurs. Le premier est de répondre aux besoins d'une population qui compte de plus en plus de personnes âgées; le second est de concevoir une politique sociale équilibrée qui tient compte des besoins propres à chaque génération et qui incite les citoyens de tous les âges à être actifs dans la société.

---

57. Bureau québécois de l'Année internationale des personnes âgées, *Conçu pour être vieux... dans une société vieillissante*, cahier paru dans *Le Soleil*, 29 janvier 2000, p. 7.

Ces structures étant en place, on est fort tenté, après être monté dans la diligence, de s'assoupir et de se contenter, comme dit Carette[58], des loisirs «de l'âge qui dort» au lieu d'agir en citoyen responsable. Dès lors, il peut arriver que les technocrates, les politiciens, les gestionnaires, les animateurs, sans oublier les proches, décident, comme le cocher de l'histoire, de prendre une direction autre que celle qui avait initialement été fixée.

Pour ne pas se retrouver dans le fossé comme la diligence de l'histoire, les voyageurs ont donc tout intérêt à rester vigilants.

---

58. J. CARETTE, *op. cit.*, p. 134.

Chapitre 2

Se réorienter devant les routes possibles

FAIRE FACE À L'INCERTITUDE

ENTRETENIR L'ESPOIR DE S'EN SORTIR

NE PAS SE PERDRE DANS SA TÊTE

AVOIR L'ESPRIT OUVERT

VIVRE DANS LE PRÉSENT

FAIRE AVEC CE QUI EST

RENOUVELER SON ÉNERGIE VITALE

CHERCHER EN SOI LES VOIES POSSIBLES

2.1 Faire face à l'incertitude

Le poids des habitudes

L'autobiographie de la vie en cinq actes[59]

1.
Un jour je descendais la rue
Il y avait un trou profond dans le trottoir
Je suis tombé dedans
J'étais perdu... j'étais désespéré
Ce n'était pas ma faute
Il me fallut longtemps pour en sortir

2.
Un autre jour je descendis la même rue
Il y avait un trou profond dans le trottoir
Je faisais semblant de ne pas le voir
Je tombai dedans à nouveau
J'ai eu du mal à croire que j'étais au même endroit
Mais ce n'était pas ma faute
Il m'a fallu encore longtemps pour en sortir

3.
Une fois encore, je descendis la même rue
Il y avait un trou profond dans le trottoir
Je le voyais bien
J'y retombai quand même... c'était devenu une habitude
J'avais les yeux ouverts
Je savais où j'étais
Cette fois, j'admettais que c'était bien ma faute
Je ressortis immédiatement

---

59. Cette histoire est rapportée par S. Rinpoché (1993), *Le livre tibétain de la vie et de la mort*, Paris, la Table Ronde, p. 59. Elle est aussi racontée par Padmasambhava dans la traduction de J. M. Reynolds (1989), *Self-Liberation Through Seeing With Naked Awareness*, New York, Station Hill Press, p. 10.

4.
Plus tard je descendis la même rue
Il y avait un trou profond dans le trottoir
Je le contournai

5.
Encore plus tard
J'empruntai une autre rue...

Comment cette histoire peut-elle aider à bien vieillir?

Un individu finit par se sortir d'une situation qui causait son malheur. Après de nombreuses tentatives, il y est enfin arrivé. Et si on décidait de poursuivre l'histoire... Qu'adviendra-t-il de cet individu qui décide finalement de prendre une autre rue?

Notre connaissance de la vie et des situations de ce genre nous permet de prévoir la suite. Une période de transition commencera pour l'individu. Une période d'errance. Il aura de la difficulté à vivre, un doute quant à sa nouvelle voie, comme le sentiment de s'être égaré. Cependant, cette période est inévitable et nécessaire, car il pourra ainsi se retrouver et se réorienter.

Et continuons le jeu... Si l'acteur était une personne du troisième âge... S'il devait, à cet âge avancé, apporter des changements majeurs à sa vie... Une question fondamentale se pose: a-t-on encore la capacité de changer de route quand on a atteint un certain âge? Peut-on, par exemple, adopter une autre manière de vivre ou trouver de nouveaux moyens de faire face aux difficultés de la vie?

Selon des recherches récentes[60], l'individu qui a adopté une certaine manière d'agir pendant les trois quarts de sa vie la conservera durant sa vieillesse. Une marge de manœuvre est encore possible, surtout si, dans le passé, on a montré qu'on est capable de souplesse.

Il est donc possible d'adopter de nouveaux comportements qui assureront une vieillesse plus heureuse. Mais il faut s'attendre à une période d'errance. Quelle que soit la période où l'on se trouve, la réorientation se fait à tâtons, voire dans une certaine peur de l'inconnu.

60. P. T. Costa et R. R. Mc Rae (1992), cités par C. Vandenplas-Holper, op. cit., p. 155.

La complexité des situations

Le Boeing et les spaghetti[61]

Quand il était appelé à conseiller des gestionnaires de grandes entreprises internationales sur les nouveaux défis du management, Sérieyx utilisait les images du Boeing et des spaghetti. «Devant les situations embrouillées qui sont le quotidien de votre gestion, vous vous trouvez davantage devant un plat de spaghetti que devant un Boeing!»

L'image du Boeing et des spaghetti aide à comprendre avec quel genre d'attitude il convient de faire face aux situations ambiguës. Ainsi, remonter un Boeing, c'est compliqué: il y a un très grand nombre de pièces à considérer. Mais c'est faisable. La pensée du compliqué se met à l'œuvre: logico-rationnelle, elle permet de comprendre, en l'analysant, la structure du Boeing. La pensée du compliqué est celle de l'esprit cartésien. Elle s'organise à partir de certitudes et d'axiomes et elle se déploie selon une logique prévisible qui permet d'accomplir une tâche compliquée, telle que celle qui consiste à remonter un Boeing. Mais quand il s'agit d'affronter le vivant, par exemple de prendre une décision personnelle ou professionnelle, on est obligé de penser autrement. Le vivant est complexe, on l'aborde avec la pensée du complexe.

L'image des spaghetti aide à comprendre la pensée du complexe et ses exigences. Lorsqu'on enroule des spaghetti autour de la fourchette, le nombre de spaghetti qui bougent est aléatoire, imprévisible: d'une bouchée à l'autre, le nombre varie. En faire bouger un, c'est en faire bouger 18! Dans la vie quotidienne, les situations complexes ne manquent pas. Elles ont comme caractéristiques communes le flou, l'incertitude, le paradoxal, le contradictoire, l'aléatoire. La pensée du complexe permet de vivre ces situations avec une certaine aisance.

---

61. Ce récit provient des propos tenus par Hervé Sérieyx au cours de l'émission «Émergence» diffusée par la Société Radio-Canada en 1996. Il s'inspire dans cette allégorie d'une idée émise par le sociologue français Edgar Morin.

Il n'y a rien de pire que d'aborder un problème complexe avec une pensée compliquée.

Comment cette histoire peut-elle aider à bien vieillir?

Elles sont nombreuses, les situations complexes dans la vie, et elles ne sont pas moins nombreuses pour celui ou celle qui avance en âge: l'obligation de quitter un logement dans lequel on a passé sa vie, le désœuvrement qui fait suite à la retraite professionnelle, le retour à la maison d'un fils sans emploi, le diagnostic d'un cancer avancé, etc.

Il n'existe aucune solution rapide ou toute faite à ces situations. Bien au contraire, les aspects à considérer sont nombreux, et les solutions, multiples et incertaines. C'est là la complexité à laquelle on doit faire face.

Dans les étapes de transition, il importe donc de consentir à vivre une période d'ambiguïté, de chaos et de vertige, en attendant que viennent les intuitions et les idées nouvelles quant à la direction à prendre. La tentation est de vouloir simplifier les choses, comme si elles étaient du domaine du compliqué. Combien de conseils vont en ce sens: «Tu n'as qu'à faire ceci ou cela...»

Au contraire, les routes sont multiples et les indications sur la route à suivre, peu nombreuses. Il incombe à chaque personne de découvrir sa propre route.

La lenteur du processus

Un dessin de chat[62]

Un homme riche, qui s'était pris d'une grande affection pour les félins, demanda à un célèbre artiste zen de lui dessiner un chat. Le maître accepta, lui demandant de revenir trois mois plus tard. Lorsque l'homme se présenta pour venir chercher l'œuvre, le dessinateur le renvoya maintes et maintes fois à plus tard, jusqu'à ce qu'une année entière se fut écoulée. Enfin, à la requête de son client, le maître sortit un pinceau et, avec grâce et aisance, d'un seul jet, il dessina un chat — le plus magnifique portrait qu'il ait jamais vu. L'homme s'émerveilla, puis se mit en colère. «Vous avez mis seulement trente secondes à faire ce dessin! Pourquoi m'avoir fait attendre un an?», lui demanda-t-il. Sans mot dire, le maître ouvrit une armoire d'où tombèrent des milliers de dessins de chats.

Comment cette histoire peut-elle aider à bien vieillir?

---

62. Cette histoire est tirée de D. MILLMAN, op. cit., p. 50.

Il en faut du temps. Il en faut des esquisses. Il est long le processus de création. La conception d'un livre, d'un tableau, d'une symphonie, d'un film, prend du temps.

Ainsi, réorienter sa vie est un processus de création qui est souvent lent. Il se réalise dans la recherche et dans l'attente d'une nouveauté. D'où, très souvent, un malaise, une culpabilité devant l'état de stagnation et la perte de temps. L'inconfort s'accompagne d'un sentiment de vide et de manque, car ce que l'on a quitté n'est pas remplacé.

De nombreuses pressions s'exercent autour de soi afin de hâter le changement. Des suggestions sont émises ici et là. Mais tant que la transition n'est pas achevée, les efforts pour combler le vide amènent une fuite en avant: les changements qui ont lieu sont superficiels et ramènent tôt ou tard à la case départ.

Il est réconfortant de savoir que la réorientation est un processus créateur. Quelque chose de nouveau est sur le point de naître. On sait donc que sa patience sera récompensée. Le vide n'est qu'apparent. Au-dedans, au plus profond de soi, des forces, souvent inconnues, secrètes, sont à l'œuvre.

Il en sortira quelque chose comme un dessin de chat exécuté d'un seul trait, après d'innombrables esquisses.

L'absence de repères

Le souffle de la forêt[63]

Un jour, un jeune garçon d'une tribu amérindienne se retrouve aux abords de la forêt et demande à un sage de son clan qui passait par là: «Que dois-je faire si je me perds dans la forêt? Que dois-je faire si je ne retrouve pas mon chemin?» Le sage lui répond: «Tu dois d'abord t'arrêter, ne pas t'énerver, rester tranquille. Les arbres et les arbustes qui t'entourent savent où ils sont; eux ne sont pas perdus! Reste sur place où que tu sois dans la forêt, car ce lieu où tu t'arrêteras s'appelle "ici". Tu dois considérer la forêt comme une force réelle que tu ne connais pas encore. Si tu veux faire sa connaissance, il faut tout simplement lui demander de se révéler.»

«Cela me paraît bien étrange», dit le jeune garçon. «C'est plus simple que tu ne le penses», dit le sage. «Si tu écoutes, par exemple, le souffle de la forêt, il te dira que c'est elle qui a créé l'endroit où tu te trouves; et il t'aidera à connaître cet endroit. Ainsi si tu le quittes, tu pourras toujours y revenir. Pour t'aider à comprendre ce que je te dis, observe le corbeau. Pour lui, il n'y a pas deux arbres qui sont semblables. De même pour le hibou, il n'y a pas deux branches identiques. Le corbeau et le hibou sont en harmonie avec la forêt; les arbres et les arbustes sont pour eux des points de repère familiers. En somme, la première chose à faire, si tu es perdu, est de te calmer et de te laisser trouver par le souffle de la forêt. Alors des repères te seront révélés et ils t'aideront à trouver ton chemin.

Comment cette histoire peut-elle aider à bien vieillir?

---

63. Cette histoire qui fait partie du patrimoine amérindien est extraite de l'émission «The Mind and Body Connection», diffusée sur le réseau américain PBS en 1998.

Une forêt dense dans laquelle les repères sont apparemment inexistants: n'est-ce pas une image fort évocatrice du sentiment d'être perdu qui se manifeste à certaines étapes de la vie? Au début de la retraite, par exemple, ou après la perte du conjoint, l'absence de repères peut être fort angoissante. Que devenons-nous? Qu'est-ce qui nous attend?

N'être plus ce qu'on était et ne pas savoir ce qu'on sera. Cette période d'incertitude est souvent douloureuse. On comprend alors que certaines personnes font tout ce qu'elles peuvent pour ne pas avoir à vivre cette période. Le besoin de mouvement peut donner l'illusion qu'on va vers un renouveau alors qu'en réalité, on s'en éloigne. La connaissance de soi s'accommode mal du bruit et de l'agitation.

«Si tu es perdu, dit le sage amérindien, l'important est de te calmer. Alors des repères te seront révélés.»

Il peut être bon de créer des conditions qui favorisent l'apaisement:

- se retirer dans un lieu paisible et concentrer son attention sur ses besoins et désirs (par exemple, un centre de désintoxication);
- rompre avec certaines vieilles habitudes;
- se libérer de certaines pressions qui s'exercent dans le quotidien;
- intégrer dans son horaire des activités de détente.

Ces moyens aident à la réflexion et, souvent, permettent de découvrir des indications sur la voie à prendre.

2.2 Entretenir l'espoir de s'en sortir

La confiance dans sa bonne étoile

Trois corbeaux dans le ciel[64]

C'était le douzième jour du mois des semailles en cette année 864, et le bateau avait déjà navigué durant trois longues journées, laissant loin derrière lui son port d'attache sur la côte norvégienne. L'équipage était au grand complet. Son chef s'appelait Ulrich et commandait vingt-six rameurs. Un devin les accompagnait, car, en ces temps lointains, le devin avait la charge de scruter le ciel et de conseiller le capitaine sur la direction à prendre.

Ulrich était un vaillant guerrier. On le respectait, mais lorsqu'il parlait de terres nouvelles, là-bas, à l'ouest de la mer immense, ses hommes le prenaient pour un fou. L'équipage était inquiet. De surcroît, Ulrich avait emmené trois corbeaux sur le pont. Tout le monde regardait ces étranges compagnons d'un drôle d'œil. Mais Ulrich ne s'en souciait guère: il voguait vers des terres nouvelles, et il avait confiance en ce qu'il faisait. Le vent était du voyage et le bateau avançait à vive allure. Le devin rejoignit Ulrich à l'avant du navire. Il était le porte-parole de tout l'équipage. Malgré l'affection et le respect que les hommes portaient à leur chef, ils trouvaient qu'il avait perdu la raison et que ce voyage était pure folie. Ils voulaient rentrer chez eux. «Je me fie à ma bonne étoile, et les terres nouvelles que je sais cachées de l'autre côté de l'horizon, mes corbeaux les trouveront!», rétorqua le chef.

Il avait déjà ouvert la cage d'osier et, saisissant l'un des oiseaux, il le lança vers le ciel. Celui-ci tournoya en de longs cercles hésitants, puis s'élança vers l'ouest. Le lendemain, la mer était plus agitée, plus grise encore et le ciel plus noir. Ulrich saisit le deuxième corbeau et le lança comme le premier. L'oiseau fonça vers l'ouest

---

64. Ce récit est une adaptation du conte «Les trois fils noirs du ciel», dans *Mille ans de contes de mer*, Paris, Éditions Milan, 1994, p. 311.

avant de disparaître dans le brouillard épais. Le lendemain, les hommes étaient au bord de la mutinerie. Seul Ulrich, debout à la proue, regardait la mer d'un air paisible. Il saisit le dernier corbeau et lui donna la volée. Sans l'ombre d'une hésitation, le corbeau s'élança tout droit vers l'ouest. «Ramez, ramez, mes frères, je sais que nous touchons au but!» Pendant deux jours encore, le bateau eut le vent en poupe. Enfin, vers le soir du second jour, ils abordèrent une côte couverte de glace blanche. Ulrich, fou de joie, la nomma Ice-land. Il avait su écouter et lire le vol des corbeaux. Un oiseau vole toujours en direction de la terre ferme, même en plein océan. Les trois corbeaux de Norvège avaient conduit Ulrich jusqu'en Islande.

Comment cette histoire peut-elle aider à bien vieillir?

S'il avait cédé aux demandes répétées de son équipage, le capitaine aurait fait demi-tour et ainsi mis un terme à son odyssée. Il lui a fallu courage, confiance et persévérance pour avancer en plein brouillard, avec la conviction qu'il y avait une terre nouvelle derrière l'horizon.

Ce sont ce courage, cette confiance et cette persévérance qui permettent de tenir le coup dans les périodes difficiles. Les témoignages vont en ce sens. Quand on interroge des personnes qui se sont finalement sorties d'une mauvaise passe, elles affirment toutes avoir eu la conviction profonde que leurs difficultés étaient passagères et qu'à force de persévérance, elles finiraient par trouver la lumière, un jour, au bout du tunnel.

D'autres individus, au contraire (l'équipage du bateau norvégien, par exemple), ont une attitude défaitiste dans l'adversité. Ils ont vécu tellement d'expériences douloureuses et d'échecs qu'ils sont persuadés que toutes leurs entreprises échoueront et qu'ils ne peuvent rien faire pour améliorer leur sort. Cet état d'esprit négatif les empêche d'agir. Des recherches sur l'«impuissance acquise»[65] montrent qu'elle découle de certaines croyances. Deux croyances sont particulièrement néfastes: la croyance dans la permanence du problème et la croyance dans la globalité du problème. On pense que tout problème est permanent et qu'on ne peut rien faire pour le résoudre, ou encore qu'il affecte l'ensemble de sa vie et en contamine tous les aspects.

La solution pour effacer ce genre de croyances consiste à trouver une situation de sa vie que l'on peut maîtriser, puis à persévérer dans cette direction. Progressivement, on tente de reconquérir son pouvoir personnel.

Le début de la retraite est un moment qui se prête bien à des décisions concrètes concernant la prise en main de sa vie. Cette dernière est un élément essentiel à l'art de bien vieillir.

---

65. M. SELIGMAN (1991), *Learned Optimism*, cité dans A. ROBBINS (1993), *L'éveil de notre puissance intérieure*, Genève/Montréal, Edi-inter/Le Jour, p. 92.

La confiance dans sa capacité de s'en sortir

Les deux grenouilles dans le pot[66]

Deux petites grenouilles tombent dans un pot de lait. L'une désespère et dit: «Il n'y a rien à faire. Je vais mourir.» Elle se laisse couler et se noie. L'autre se dit aussi: «Il n'y a rien à faire. Je vais mourir, mais je vais opposer une résistance et me débattre pour voir jusqu'où je peux durer.» Toute la nuit, elle se débat dans le lait, nage et lutte. Le lendemain matin, elle se découvre assise sur un tas de beurre. Elle venait d'inventer la baratte à beurre.

Comment cette histoire peut-elle aider à bien vieillir?

---

66. Cette histoire, racontée par l'auteure acadienne Antonine Maillet, appartient à la tradition orale.

Ces deux grenouilles pourraient représenter les deux forces opposées qui entrent en conflit à l'occasion d'un changement, par exemple, le fait de vieillir. L'une évoquerait la peur paralysante du changement, et l'autre, la force d'y faire face.

La peur de vieillir pousse à s'accrocher, tant qu'on peut, à ses acquis, puis à se résigner finalement à voir ses capacités décliner. On en vient à se croire de plus en plus inapte, on se déprécie et on se laisse aller au défaitisme et à la morosité.

La force de faire face au vieillissement incite à se réaliser selon un autre rythme, avec des moyens différents et en vue d'objectifs tout autres. Des ressources nouvelles émergent alors, qui permettent d'affronter la nouvelle situation et éventuellement de s'y adapter.

Mais avant que ces ressources nouvelles apparaissent, une période plus ou moins longue d'exploration de ses capacités est souvent nécessaire. Celles-ci se découvrent et se développent dans des situations bien concrètes. La personne se livre à diverses activités qui constituent pour elle autant de petits défis qui la révèlent à elle-même. Par exemple, en exécutant tour à tour divers travaux dans un organisme, une personne découvrira peut-être un type d'occupation qui la passionne. Elle acquiert ainsi plus de confiance en elle-même et dans sa capacité de sortir de sa phase d'inhibition.

Dans les transitions importantes de la vie, le processus d'exploration de ce que l'on est et de ce que l'on veut, par diverses occupations, permet de découvrir quelle est la route à suivre.

2.3 NE PAS SE PERDRE DANS SA TÊTE

Le piège des conditionnements

La cage de l'ours[67]

Dans un jardin zoologique, on avait mis un ours dans une cage étroite, car on n'avait pas fini le terrassement du territoire et l'aménagement de l'antre qui devaient le recevoir. L'ours arpentait durant de longues heures l'espace où il était retenu captif. Une fois les travaux finis, une grue mécanique souleva la cage de l'ours pour lui donner la liberté sur son terrain. Or, l'ours continua d'arpenter l'espace où se trouvait la cage, comme s'il était prisonnier de barreaux invisibles.

Comment cette histoire peut-elle aider à bien vieillir?

---

67. Cette histoire est tirée de J. MONBOURQUETTE (1984), *Allégories thérapeutiques*, Ottawa, Institut de pastorale, Université Saint-Paul, p. 9.

Même invisible, la cage de l'ours représente une sécurité: des repères rassurants dans un zoo en transformation. Au point que l'ours ne franchira peut-être jamais les barreaux imaginaires dont il croit être entouré. Il vit *dans sa tête*, comme dit le langage populaire.

Il arrive à l'être humain de vivre dans sa tête et d'être prisonnier d'idées toutes faites ou irrationnelles[68]. À cause d'elles, il en vient à éprouver des sentiments désagréables — tristesse, peur, frustration, angoisse — qui, en s'additionnant les uns aux autres, accroissent sa souffrance.

Quand on veut trouver plus de bonheur et s'assurer une vieillesse heureuse, il est nécessaire de déterminer si les sentiments désagréables correspondent à une réalité. Par exemple, la peur de vieillir liée à l'idée qu'on sera un fardeau pour ses enfants est-elle ou non raisonnable? Toutes les personnes qui vieillissent deviennent-elles un poids pour leur entourage? Autre exemple: la hantise de la possibilité de contracter un jour le cancer n'est-elle pas le produit d'une pensée morbide et déraisonnable? Qui peut savoir ce dont demain sera fait?

Bien vieillir, c'est apprendre à maîtriser les pensées qui engendrent des sentiments désagréables ou à les remplacer par des pensées correspondant davantage à la réalité.

---

68. L. AUGER (1974), *S'aider soi-même. Une psychothérapie par la raison*, Montréal, Éditions de l'Homme, p. 111.

La «trop-pensée»

L'indécision de l'âne[69]

La canicule sévit dans le pays et la journée a été torride. Le travail aux champs se termine à la grande satisfaction des paysans.

Un âne revient en direction des bâtiments, fourbu, assoiffé et affamé. Arrivé à l'étable, il voit à égale distance de lui, à sa gauche l'abreuvoir et à sa droite la mangeoire d'avoine. Que choisir? Il hésite entre aller boire et aller manger. Que choisir? Il n'arrive pas à déterminer s'il a plus faim que soif... Le temps passe. Tout devient embrouillé, et il meurt.

Comment cette histoire peut-elle aider à bien vieillir?

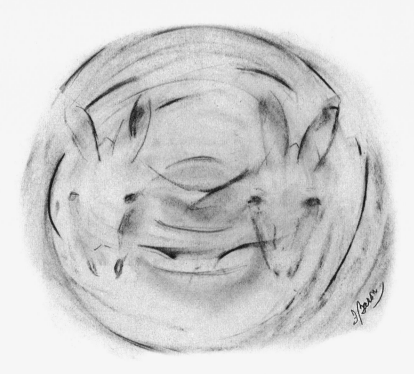

---

69. Cette histoire est adaptée du texte qui figure à l'article Buridan (Jean), dans *Le Petit Robert des noms propres* (1999). Buridan est un philosophe scolastique du XIVe siècle.

L'impasse dans laquelle aboutit l'âne est le résultat de la «trop-pensée», c'est-à-dire de la pensée qui crée ses propres problèmes dont elle n'arrive pas ensuite à se dépêtrer[70]. Il arrive souvent en effet que les hésitations, les questionnements stériles, les dilemmes et les spéculations distraient d'une réalité nouvelle à affronter et de décisions à prendre concernant son existence.

Les tergiversations sont généralement inconscientes. Elles pourraient s'expliquer, selon Keyes[71], par la présence de programmes qui se sont inscrits dans le «bio-ordinateur» d'une personne au cours de sa vie. Les programmations lui font éprouver de l'anxiété quand sa sécurité est menacée, de la frustration quand ses désirs sont contrariés, et de l'hostilité quand l'exercice de son pouvoir est entravé.

Après le mitan de la vie, beaucoup d'événements — maladie, deuil, handicap, retraite forcée, baisse de revenus, déménagement, etc. — sont perçus comme menaçants par bon nombre de personnes vieillissantes. Ces perceptions réactivent des programmes «aliénants» qui peuvent être restés longtemps inactifs dans les «bio-ordinateurs».

Mais il arrive un moment où une insatisfaction continuelle et une baisse de la qualité de vie amènent la personne à prendre conscience de l'effet dévastateur de ces programmes aliénants et à vouloir s'en sortir. Elle cherche alors à se déprogrammer pour se reprogrammer de manière à mieux se traiter et à traiter les autres et les événements avec un niveau de conscience supérieure.

Voici quelques moyens qui permettent de ne pas céder à l'emprise de la «trop-pensée».

- S'employer à développer un niveau de conscience qui permet d'observer son «cinéma mental» habituel.
- Passer à l'action; faire ce que l'on peut faire ici et maintenant au lieu de s'inquiéter pour l'avenir.

---

70. H. REEVES (1999), *L'espace prend la forme de mon regard*, Paris, Seuil, p. 66.
71. K. KEYES (1987), *Manuel pour une conscience supérieure*, Knowlton (Québec), Éditions universelles du Verseau, p. 25. Les idées émises dans ce commentaire sont tirées en grande partie de cet ouvrage.

- Abandonner l'illusion qu'on peut modifier les gens pour les rendre comme on voudrait qu'ils soient.
- Avoir des préférences plutôt que des attentes ou des exigences; cela permet de réduire les causes de souffrance et de frustration.
- Savoir s'accommoder de ce qui est et vivre le plus possible le moment présent.

Sur une route boueuse[72]

Deux moines, Tanzan et Eikeido, voyageaient ensemble. Un bon matin, ils se trouvaient sur une route boueuse alors qu'il pleuvait des clous. Soudain, à un tournant, apparut une belle jeune fille, joliment vêtue d'un kimono et d'une ceinture de soie, qui n'arrivait pas à franchir un ruisseau qui traversait le chemin. «Attendez, je vais vous aider», dit Tanzan. Et, soulevant la jeune fille, il la porta de l'autre côté.

Eikeido ne dit plus un mot jusqu'au soir. Mais lorsqu'ils s'arrêtèrent dans le temple pour la nuit, il éclata: «Nous, les moines, nous ne devons pas approcher les femmes, et surtout celles qui sont jeunes et belles. C'est dangereux. Pourquoi as-tu fait cela?» «J'ai laissé la jeune fille là-bas, répondit Tanzan, mais toi, serais-tu encore en train de la porter?»

Comment cette histoire peut-elle aider à bien vieillir?

---

72.   Cette histoire est tirée de P. REPS (1988), *Le zen en chair et en os*, Paris, Arista, p. 32.

Les comportements que les gens adoptent sont déterminés en bonne partie par leurs croyances. Celles-ci comportent différents degrés de certitude et d'intensité émotionnelle. Selon que les croyances sont plus ou moins fortes, la capacité d'adaptation aux situations peut varier d'un individu à l'autre. Quand les croyances ont leur source dans des événements importants, le cerveau fait le raisonnement suivant: «Si je ne crois pas cela, je souffrirai énormément. Si je renonçais à cette croyance, je renoncerais à mon identité et à tout ce pourquoi j'ai vécu pendant des années[73].» Le moine Eikeido n'aurait pas, lui, aidé la belle demoiselle à traverser le ruisseau. Ses croyances le lui interdisaient. Et ce sont elles qui, toute la journée, ont occupé sa pensée au point de l'amener à faire des reproches à son frère Tanzan.

Pour certaines personnes plus que pour d'autres, la sécurité psychologique est liée au sentiment qu'elles demeurent les mêmes malgré les changements. L'affirmation rigide de leurs croyances, par exemple, les confirme dans leur manière d'être, réduisant ainsi leur anxiété en face de situations nouvelles.

Ce phénomène permet de comprendre certaines formes de rigidité qui accompagnent parfois le vieillissement. Plus l'anxiété d'une personne devenue adulte est grande, plus celle-ci aura de réticence à modifier tel ou tel élément de sa personnalité, ses croyances notamment.

Le fait de demeurer souple tout au long de la vie, et donc aussi au troisième âge, peut être d'une grande importance, étant donné les nombreux changements inhérents au vieillissement[74].

---

73. A. ROBBINS, *op. cit.*, p. 98.
74. J.-L. HÉTU, *op. cit.*, p. 218.

2.4 Avoir l'esprit ouvert

La souplesse intellectuelle

La tasse de thé[75]

Il était une fois, en Inde, un grand maître spirituel, un Mahatma, qui vivait au plus profond de la forêt. Un savant vint un jour lui rendre visite. Il était très pressé et demanda au Mahatma: «Vénérable sage, pouvez-vous m'enseigner la méditation?» Le Mahatma lui sourit et dit: «Pourquoi êtes-vous si pressé? Asseyez-vous, détendez-vous et prenez une tasse de thé. Nous discuterons ensuite, nous avons le temps.» Mais le savant était agité et impatient. Il répondit: «Pourquoi pas maintenant? Dites-moi quelque chose au sujet de la méditation!» Le Mahatma insista néanmoins pour que le savant s'assoie, se détende et prenne une tasse de thé avant d'aborder le sujet.

Le visiteur dut céder et finit par s'asseoir. Il lui fut toutefois impossible de se détendre; il parlait sans arrêt. Le Mahatma prit son temps. Il prépara le thé et revint auprès du savant qui l'attendait avec impatience. Il lui tendit une tasse et une soucoupe, puis se mit à verser le thé. La tasse se remplit, déborda, mais le Mahatma ne cessait pas de verser. Le savant cria: «Que faites-vous? La tasse est pleine! Arrêtez!» Mais le Mahatma continuait. Le thé déborda dans la soucoupe, puis se mit à couler sur le sol. Le savant cria de toutes ses forces: «Hé! êtes-vous aveugle? Ne voyez-vous pas que la tasse est pleine et ne peut contenir une goutte de plus?» Le Mahatma sourit et cessa de verser. «C'est juste, dit-il, la tasse est pleine et ne peut contenir une goutte de plus. Tu sais donc qu'une tasse pleine

---

75. La guide spirituelle indienne Amma présente cette version personnelle de la populaire histoire «Une tasse de thé» dans le numéro de mars 1997 de *Matruavini*, une revue qu'elle a fondée. Cette histoire est aussi rapportée par M. DE SMEDT et T. DESHIMARU (1994), *Paroles zen*, Paris, Albin Michel, p. 39, et M. ROBERGE, *op. cit.*, p. 148.

ne peut recevoir davantage. *Comment pourrais-tu alors, toi qui débordes de connaissances, m'écouter lorsque je parle de méditation? C'est impossible. Fais de la place, d'abord, dans ton esprit et ensuite, je te dirai ce que je peux faire pour toi.»*

Comment cette histoire peut-elle aider à bien vieillir?

Chaque être est unique et son expérience de la vie diffère de celle des autres. Deux individus peuvent vivre dans un même environnement et le percevoir différemment. D'où les difficultés de la communication: si on est trop centré sur soi-même, on ne comprend pas que l'autre puisse penser différemment. De plus, comme on a tendance à faire dépendre sa conduite de ce que les autres pensent de soi, on essaie de projeter la plus belle image possible. À l'instar du savant de l'histoire, on est tellement rempli de soi qu'il est presque impossible de faire une place à autre chose[76].

Selon Rinpoché[77], l'écoute est l'un des moyens qui permettent de se libérer de l'égocentrisme. Il affirme qu'écouter est beaucoup plus difficile qu'il n'y paraît. Écouter réellement signifie, pour lui, s'abandonner complètement, faire abstraction de ses connaissances, des notions, idées et préjugés dont l'esprit est rempli. Pour rendre encore plus compréhensible son conseil, il recommande d'écouter avec l'état d'esprit du débutant, de celui qui ne sait rien, c'est-à-dire en étant dégagé des idées préconçues. Alors on commence vraiment à écouter.

La conduite du Mahatma de l'histoire témoigne d'une bonne écoute, contrairement à celle de son visiteur. Courtois et affable, il se contente d'être réceptif et s'abstient d'interrompre son visiteur. D'ailleurs, cette prise de distance lui permet, le moment venu, de faire comprendre au savant qu'il n'est pas en mesure de profiter de l'enseignement qu'il est pourtant venu chercher.

Avec l'avance en âge, de multiples événements surviennent — les pertes de toute nature, par exemple — qui font surgir bon nombre d'idées et de pensées menaçantes, accaparantes et tenaces. En pareille circonstance, l'attitude du maître est très inspirante: accueillir, écouter, observer et prendre le temps d'éclaircir la situation et d'envisager plus calmement des solutions.

---

76. I. FILLIOZAT (1991), *Trouver son propre chemin: la conscience de soi en 60 exercices*, Paris, L'âge du Verseau, p. 186.
77. S. RINPOCHÉ, *op. cit.*, p. 173.

L'imagination créatrice

Le vendeur de chaussures[78]

Une compagnie de chaussures envoya un vendeur dans un pays étranger pour y découvrir les possibilités de commerce. Le vendeur revint et affirma qu'il fallait renoncer à la vente de chaussures dans ce pays car, disait-il, «les gens de ce pays marchent nu-pieds». Un peu plus tard, on délégua un autre vendeur dans le même pays. Aussitôt arrivé, ce vendeur envoya ce télégramme à ses patrons: «possibilité d'une grande ouverture de marché de chaussures car les gens marchent nu-pieds.»

Comment cette histoire peut-elle aider à bien vieillir?

---

78. Cette histoire est tirée de J. MONBOURQUETTE, *Allégories thérapeutiques*, p. 9.

Devant un même pied nu, deux réactions opposées. L'une est conservatrice: elle correspond à la façon habituelle de percevoir la réalité. L'autre est intuitive et imaginative: la solution au problème est tout à fait nouvelle. La personne qui est ainsi capable de trouver ce genre de solution est une personne créative. Sans le savoir, le plus souvent, elle franchit les trois étapes du processus de création[79].

Quand, traversant une période de changement, une personne doit se réorienter, il est bon qu'elle mette en œuvre ses forces créatrices en vue de découvrir une nouvelle voie. Supposons, par exemple, qu'une personne avancée en âge doive quitter la maison qu'elle a habitée toute sa vie.

Dans un premier temps (*l'étape de la préparation*), cette personne tentera d'examiner à fond la question: les faits entourant son départ forcé, les raisons qui motivent le déplacement, les diverses solutions possibles quant à un nouveau chez-soi et les avantages et inconvénients de chacune de ces solutions — l'éloignement des siens, les services alimentaires, les services d'entretien ménager et de santé, ainsi que la possibilité de rapports sociaux.

Dans un deuxième temps (*l'étape de l'incubation*), cette personne voudra prendre du recul car elle se sentira incapable de pousser plus loin sa réflexion. Elle permettra ainsi aux données accumulées de se décanter. En quelque sorte, elle «dort sur le problème», permettant ainsi à la pensée de se libérer et aux composantes créatrices du subconscient de se manifester. Il importe de ne pas brusquer cette étape d'incubation.

La troisième étape du processus (*l'illumination*) est celle de la découverte de la solution. La lumière se fait et les doutes se dissipent. La personne sait quelle décision prendre par rapport à la question du logement.

---

79. R. DESROSIERS-SABBATH (1993), *L'enseignement et l'hémisphère cérébral droit*, Québec, Presses de l'Université du Québec, p. 87.

La prise en compte de l'ensemble

Un éléphant dans le noir[80]

Il était une fois, dans un village lointain, des gens qui n'avaient jamais vu un éléphant; ils n'en avaient même jamais entendu parler.

Un soir on amena au village un éléphant qu'on plaça jusqu'au matin dans un bâtiment obscur. Durant la nuit, plusieurs villageois curieux et téméraires approchèrent l'animal pour savoir à quelle chose étrange ils pouvaient avoir affaire. Tâtonnant dans l'obscurité, celui qui parvint à lui toucher la trompe déclara qu'il s'agissait d'une créature ressemblant à un tuyau, l'autre qui lui avait touché l'oreille compara l'animal à un éventail, et cet autre qui lui avait touché la patte conclut que l'éléphant ne pouvait ressembler à autre chose qu'à un pilier.

Ainsi, chacun affirma sa vérité selon ce qu'il avait perçu, pensant que les autres étaient, sinon des menteurs, du moins des simples d'esprit.

Comment cette histoire peut-elle aider à bien vieillir?

---

80. Cette histoire est tirée de J. DUCHESNAY (1993), *Voie de sagesse et d'amour. Le Soufisme*, Genève/Montréal, Amarande, p. 16. Une autre version de cette histoire figure dans E. BRASEY (2000), *Trouver sa vérité par les contes de sagesse*, Paris, Albin Michel, p. 56.

La saisie de la réalité est partielle si l'on ne situe pas ses perceptions de l'élément pris en considération dans un ensemble plus grand. Le récit montre qu'il importe d'avoir une approche globale et contextuelle des individus ainsi que des situations et des événements qui les concernent.

On le sait, chaque personne est complexe. Les composantes internes de sa personnalité sont nombreuses et les forces qui lui sont extérieures et qui exercent sur elle une influence sont multiples. L'ensemble de ces influences — ressources internes et forces externes — interagissent entre elles et influent sur son développement. Et elles sont toutes à prendre en considération dans les évaluations à faire de certaines situations de la vie comme dans les décisions à prendre en faveur d'un changement. Une telle approche globale et contextuelle est systémique.

Il est utile d'adopter cette approche quand il faut amener un changement dans sa vie. Selon la théorie systémique, les facteurs qui interviennent dans un processus quelconque sont solidaires les uns des autres et, si on en modifie un, tous les autres se trouvent modifiés à quelque degré[81].

Par exemple, une nouvelle retraitée qui s'ennuyait de l'animation qui régnait dans son milieu de travail et qui avait du mal à accepter son désœuvrement décida de consacrer deux heures par semaine à la comptabilité de Centraide. Au bout d'un certain temps, un changement commença à s'opérer en elle, qui fut bientôt suivi d'autres changements: le sentiment d'être utile, un nouveau réseau social, un sommeil plus réparateur, le recouvrement de l'estime d'elle-même et une vie familiale plus satisfaisante. Cette femme est parvenue à aménager son temps, et d'autres aspects de sa vie s'en sont trouvés modifiés.

En période de transition, quand on doit éventuellement aller vers autre chose, il peut être intéressant de se demander ce qui pourrait être modifié en premier lieu.

---

81. M. MAZIADE (1988), *Guide pour parents inquiets: aimer sans se culpabiliser*, Paris/Sainte-Foy, La Liberté, p. 76.

2.5 Vivre dans le présent

La valeur de l'instant présent

Une banque à fréquenter[82]

Un octogénaire fut invité à prendre la parole au repas de fête qui soulignait ses quatre-vingts ans. À ses enfants et petits-enfants réunis, il proposa cette fiction.

Imaginons qu'une banque dépose chaque matin 86 400 $ dans notre compte. Tous les soirs, la somme est annulée si nous ne l'avons pas utilisée pendant la journée. Sans aucun doute, nous retirerions cet argent dès le matin!

Supposons maintenant que chacun de nous est le client d'une banque de ce genre où l'argent est remplacé par le temps. Chaque matin, cette banque verse 86 400 secondes dans notre compte. Chaque soir, le temps que nous n'avons pas utilisé à bon escient est rayé de notre compte et ne peut être réclamé. Ne serait-il pas alors important de vivre pleinement le moment présent et d'employer notre temps à des occupations qui permettent de nous réaliser?

Reconsidérons notre rapport au temps: pour apprécier plus justement la valeur d'une journée, pensons à ce que dirait un petit salarié si on lui demandait de perdre une journée de travail. Pour évaluer la valeur d'une heure, pensons à ce que ressentent les amoureux dans les moments qui précèdent leur rencontre. Pour prendre conscience de la valeur d'une minute, imaginons quelle est la réaction d'une personne qui vient de rater son avion! Pour comprendre la valeur d'une seconde, pensons à ce qu'éprouve une personne qui a évité de justesse un accident! Enfin, nous savons l'importance que revêt une fraction de seconde pour un champion olympique.

---

82. Ce récit est une adaptation d'un texte non signé qui a été transmis aux auteurs par Internet.

Chaque instant est un don; c'est pour cette raison qu'il s'appelle le présent. Je le découvre en vieillissant. Puissiez-vous le découvrir très prochainement.

Comment cette histoire peut-elle aider à bien vieillir?

Prendre son temps. Profiter du moment présent. Vivre un jour à la fois. Ces expressions courantes traduisent bien le désir profond et partagé par tous de disposer librement de son temps et de pouvoir choisir ses activités. Ce désir est d'autant plus fort que le rythme d'enfer du métro-boulot-dodo fait que nous avons peu de temps pour nous occuper de nous-mêmes. Vivement la retraite: on aura alors tout le temps!

Mais quand le temps arrive de prendre son temps, plusieurs sont déroutés. Car on n'a pas l'habitude de vivre l'«ici et maintenant», sans être pressé de passer à autre chose. Il apparaît alors que le temps n'est pas le cadeau que l'on avait imaginé.

Quand on réussit à apprivoiser le présent, on établit par le fait même un nouveau rapport avec soi. Inversement, la découverte de nouvelles ressources à l'intérieur de soi donne de l'intensité à chaque moment qui passe. On ne s'ennuie plus.

Dans la période de transition que vivent les nouveaux retraités, ou au moment de l'apparition des marques de la vieillesse, vivre dans le présent, c'est prendre le temps de découvrir ce qui se passe en soi.

Une voix intérieure profite de l'accalmie pour se faire entendre. Le plus souvent, elle pose des questions essentielles sur le but de la vie, sur l'importance de faire ceci ou cela, sur la valeur de la santé et le soin qu'il faut apporter à sa conservation, sur la mort inévitable, prochaine peut-être. Vivre dans le présent, c'est donner du temps à la personne qu'on veut être.

2.6 Faire avec ce qui est

La relativité des événements

Peut-être que oui, peut-être que non[83]

Un jour, un fermier perdit le plus beau de ses chevaux qui s'était enfui dans la forêt. Ses voisins, apprenant la nouvelle, vinrent en disant: «N'est-ce pas un grand malheur?» Le fermier répondit: «Peut-être.» Le lendemain, le cheval revint à la ferme avec trois autres chevaux de race. Les voisins s'empressèrent de lui dire: «Quelle grande joie doit être la vôtre!» Le fermier répondit: «Peut-être.» Quelques jours plus tard, son fils se fractura une jambe en voulant dompter un de ces chevaux. Les voisins accoururent pour lui dire: «Quelle grande douleur!» Le fermier répondit «Peut-être.» Le lendemain, des militaires visitaient les fermes afin de recruter des jeunes gens pour aller à la guerre. Le fils du fermier, handicapé par sa fracture de la jambe, ne fut pas enrôlé. Les voisins s'empressèrent de lui parler de sa chance... et le fermier de répondre: «Peut-être.»

Comment cette histoire peut-elle aider à bien vieillir?

---

83. Cette histoire est tirée de A. De Mello (1983), *Sadhana*, Montréal, Éditions Bellarmin, p. 194. Elle figure aussi dans J. Monbourquette, *Allégories thérapeutiques*, p. 8; D. Millman, *op. cit.*, p. 49; I. Filliozat, *op. cit.*, p. 177.

Peut-être que oui, peut-être que non: qui sait ce qui va arriver demain? Le fermier de l'histoire a acquis une sagesse que l'on aimerait posséder soi-même. La sagesse de prendre les événements comme ils arrivent, sans joie excessive ni regret, sans révolte, sans résignation, mais avec la confiance sereine que tôt ou tard, on découvrira leur véritable signification.

On a plutôt tendance à considérer les événements en fonction de ce qu'on attendait et à rechercher dans le passé le sens de ce qui arrive: «cela aurait dû se passer ainsi» ou «cela s'est passé comme ça devait se passer.» On regrette ou bien on se réjouit selon que l'événement est favorable ou non à ses yeux.

Et si on faisait confiance au futur? La vie s'inscrit dans le temps. Les événements vécus aujourd'hui sont indifférents en eux-mêmes; ils ne prennent leur signification qu'avec le temps. C'est après un certain temps que l'on comprend pourquoi il en a été ainsi. «Ce que la chenille appelle la fin du monde, le maître l'appelle un papillon.» Cette parole de Richard Bach rappelle que la vie va dans le sens de la croissance.

Les personnes sereines prennent les événements comme ils se présentent: elles en relativisent la portée immédiate. Par ailleurs, elles savent qu'ils constituent le fil conducteur de leur histoire. Avec du recul, elles découvrent un sens à leur existence passée et une raison à tout ce qui leur est arrivé.

La sérénité que l'on a en vieillissant est très souvent liée à la satisfaction d'avoir été ce qu'on devait être et à la conviction de continuer à le devenir[84]. Ce sentiment de plénitude et de continuité dispose à accueillir les événements tels qu'ils se présentent.

---

84. E. H. ERIKSON (1982), *The Life Cycle Completed: a Review*, New York, Norton, p. 63.

2.7 Renouveler son énergie vitale

Des activités exploratoires

Un rendez-vous quotidien avec ses oiseaux[85]

Mon oncle Paul n'était pas un être ordinaire. Son métier non plus n'était pas banal: coiffeur et marchand d'articles de pêche. Il tenait à Dole, dans la rue de Besançon, une boutique en profondeur qui commençait par la partie où l'on vendait le matériel de pêche, pour se prolonger par le salon de coiffure.

Au troisième étage de l'immeuble, mon oncle avait aménagé un atelier qui demeure, dans mon souvenir, une sorte de paradis. La première chose qui frappait dès l'entrée, ce n'était pas l'établi, ni l'empilement de matériel, mais les oiseaux. Il y avait là une bonne dizaine de grandes cages habitées par toutes sortes de canaris, serins et perruches qui chantaient et piaillaient à vous percer les oreilles. Il y avait toujours aussi les éclopés. L'hôpital, comme disait mon oncle. Des pies, des geais, une corneille, un corbeau freux vieux de trente ans et qui vous engueulait dès que vous arriviez. Celui-là était toujours en liberté et ne se gênait pas pour vous voler sur la tête en croassant ce qui ne pouvait être que des insultes. Le ton ne prêtait pas à l'hésitation. Il y avait parfois des mésanges, moineaux, fauvettes et même, un certain temps, un coucou. Il y eut aussi un milan mais qui retrouva vite sa liberté car il devenait dangereux pour les autres.

Il faut dire que mon oncle était chasseur et que, très souvent, ses pensionnaires étaient des blessés qu'il avait ramenés et soignés. Chaque jour, avant midi, l'oncle Paul posait au milieu de son atelier dont le sol était recouvert d'un lino à fleurs, trois bassins plats qu'il emplissait d'eau. Il ouvrait les cages et sa grosse voix tonnait: «Au bain! Au bain!» Le moment était venu de se tenir à l'écart. Tout le monde se précipitait dans l'eau et c'était l'arrosage en règle. Et ça

---

85. Ce récit est tiré de B. Clavel (1999), *Les petits bonheurs*, Paris, Albin Michel, p. 122.

piaillait en battant des ailes. Quelques minutes, puis mon oncle ouvrait toute grande la fenêtre qui donnait sur les toits des maisons situées en contrebas. Les oiseaux s'envolaient. Et moi de crier: «Ils vont se sauver! — Tu rigoles. Ils tiennent trop à la cantine.» En effet, au coup de sifflet, tous revenaient. Mon oncle battait alors les mains en criant: «À la niche! À la niche!» Et les oiseaux regagnaient leur dortoir sans jamais se tromper.

Comment cette histoire peut-elle aider à bien vieillir?

L'oncle Paul montait là-haut, tous les midis, laissant derrière lui, au rez-de-chaussée ses rôles de coiffeur et de vendeur. Le bain des oiseaux était une halte dans sa journée, un espace pour sa fantaisie, un temps pour sa passion.

L'activité ainsi décrite est originale. Les exemples d'occupations auxquelles les gens s'adonnent avec intensité et passion abondent, tant les tâches communautaires que les hobbies et les loisirs: les collections, le bridge, le jardinage, les échecs, la navigation sur Internet, la culture des bonsaïs, l'aquarelle, la marche en forêt, la cuisine exotique, l'ébénisterie, le tricot, le journal intime, etc. Ces occupations ont ceci en commun qu'elles procurent un sentiment de plénitude «qui les démarque de l'arrière-fond flou des routines quotidiennes»[86].

Les psychologues Mihaly et Isabella Selega Csikszentmihalyi[87] décrivent, à travers des activités diverses, les qualités de ces «expériences autotéliques», c'est-à-dire des expériences qui ont en elles-mêmes leur propre fin. Ce sont des moments privilégiés de satisfaction, de plaisir, de joie, de bonheur. L'individu s'absorbe complètement dans ce qu'il fait, il y consacre toute son attention, sa conscience se confond avec ses actions. Son attention est si concentrée qu'il n'a conscience que du champ de perception lié à ce qu'il est en train de faire, et il perd toute notion du temps et de l'espace. L'expérience autotélique procure un tel sentiment de complétude que la personne veut à tout prix la renouveler. Les personnes qui éprouvent souvent ce sentiment de plénitude sont davantage satisfaites de leur vie présente.

On voit tout de suite l'intérêt de ce genre d'expérience pour les personnes qui avancent en âge. Celles pour qui il est familier ont généralement du plaisir à vivre, une image plus positive d'elles-mêmes, un sentiment de fierté et d'accomplissement et la conviction que leur vie a un sens.

Dans les périodes de transition, notamment au moment où apparaissent les marques de la vieillesse, après un deuil ou à la suite d'une maladie qui a laissé des séquelles, ces expériences

---

86. M. et I. S. CSIKSZENTMIHALYI (1988), cités par C. VANDENPLAS-HOLPER, op. cit., p. 123.
87. Ibid., p. 121.

autotéliques sont souvent salutaires. Elles favorisent la guérison du fait qu'elles obligent à se distancer de ses problèmes et elles sont des occasions de découvrir d'autres intérêts, goûts et passions, d'autres aspects souvent insoupçonnés de sa personnalité. Elles peuvent être très précieuses quand on est à la recherche d'une nouvelle manière de vivre.

2.8 CHERCHER EN SOI LES VOIES POSSIBLES

Le refus de se laisser mener

Un merle en difficulté [88]

Il était une fois un oisillon qui était tombé du nid. Ce soir-là, l'air était doux. Dominic pique-niquait! Et puis l'oiseau, un merle d'Amérique, et le chat. Oui, le matou des voisins qui guettait, prêt à en faire une bouchée. N'écoutant que son cœur, Dominic a pris l'oiseau dans ses mains. Au-dessus de sa tête, ça piaillait. Il a cherché le nid, ne l'a pas vu. Son seul souci, trouver au plus vite un abri pour l'éloigner. Une cage? Finalement, c'est un panier à linge — perforé et muni d'un couvercle — qui a accueilli le jeune merle, communément appelé rouge-gorge. Encore qu'à cet âge, le plumage n'a pas la couleur qui lui vaut son nom.

Cinq jours après, le bébé est en très bonne forme. Dominic croit qu'il chante. Mais ce sont en réalité des cris; seuls les adultes mâles chantent. Quelqu'un approche, il ouvre le bec, en quête de nourriture. Et de quoi ses repas sont-ils composés? Dominic ne se fait pas prier pour donner la recette obtenue d'un vétérinaire choisi au hasard dans les pages jaunes de l'annuaire téléphonique. Quatre onces de lait évaporé, même quantité d'eau, un jaune d'œuf, une cuillerée à table d'eau, une cuillerée à table de sirop de maïs et quelques gouttes d'huile de foie de morue (ou végétale). Suffit de mélanger le tout et d'y tremper ensuite des bouchées de pain.

Le menu fait sourire. Les mamans merles d'Amérique servent elles aussi une bouillie. Mais elles la préparent à partir de vers de terre et de chenilles. N'empêche! À le voir se nicher sur la main qui le nourrit, le protégé de Dominic n'a pas l'air de pâtir. Même que son sauveteur est optimiste quant à l'avenir. Il lui regarde les ailes et se dit que, bientôt, il sera assez grand pour s'en servir. Qui va lui montrer comment? Ce sont les parents qui enseignent le mieux

---

88. Cette histoire est adaptée d'un reportage paru dans *Le Soleil*, 5 juin 1999, p. A5.

à voler. Existe une part d'instinct, mais elle ne suffit pas. Rien ne permet non plus de penser que papa et maman rouges-gorges vont encore le reconnaître.

Bref, les jours de l'oisillon seraient comptés selon des avis d'experts; le mieux aurait été de le laisser libre. Il aurait suffi de le placer hors de portée du chat, à un endroit où ses parents pouvaient entendre ses cris. Ils seraient probablement venus le chercher... Sous les conseils des mêmes experts, Dominic a rendu la liberté au merle d'Amérique, devenu conscient de tous les risques que son geste comportait.

Comment cette histoire peut-elle aider à bien vieillir?

Parce qu'il est exposé à tomber sous la griffe du chat, l'oisillon de l'histoire est totalement pris en charge par un cœur compatissant. Cependant, une fois averti des conséquences possibles de sa générosité impulsive, le jeune sauveteur comprend qu'il ne doit pas sous-estimer les moyens qu'a l'oiseau de s'en sortir.

Cette anecdote amène à réfléchir sur la maîtrise de sa propre vie. Qui l'exerce? Ou bien la maîtrise est externe: elle s'exerce alors à l'extérieur de soi et l'on y est soumis. Ou bien elle est interne: dans ce cas, on dirige soi-même sa propre vie. Dans la réalité, les choses sont rarement aussi tranchées. Mais il importe de faire cette distinction: la personne peut avoir tendance soit à être autonome, soit à être dépendante.

Chez les personnes avancées en âge, celles qui témoignent d'une maîtrise interne sont généralement plus satisfaites et vivent mieux leur vieillesse que celles qui ont besoin d'une certaine forme de maîtrise externe[89].

La réussite du vieillissement est en partie fonction de la capacité des individus à s'adapter à diverses pertes de pouvoir. Ils compensent ces pertes de différentes façons, de sorte qu'ils ont le sentiment d'être capables de mener leur barque et de surmonter les obstacles qui se présentent[90]. Quand, au contraire, les personnes vieillissantes ne sont pas suffisamment autonomes, elles subissent ce qui leur arrive. Comme l'oiseau de l'histoire, elles sont prises en charge par l'entourage.

Diriger sa vie déjà au mitan de la vie et continuer de le faire à un âge avancé, c'est accroître ses chances de prendre les bonnes décisions pour soi-même et de trouver le bonheur.

---

89. S. H. ZARIT (1980), cité par J.-L. HÉTU, *op. cit.*, p. 212.
90. PECK (1956), cité par J.-L. HÉTU (1988), *op. cit.*, p. 212.

Un double niveau de conscience

Le hibou à l'œil paradoxal[91]

Un penseur était depuis longtemps fasciné par le hibou. Cet oiseau hantait ses pensées. Pour des raisons qu'il s'expliquait difficilement, mais qui jouaient à son insu, il apprenait du hibou des choses importantes de la vie. Un jour, il perçut qu'une leçon de vie était contenue dans le regard du hibou: «Un œil est fermé et l'autre est ouvert.» Le penseur observa longtemps. Cette trouvaille de la nature, n'était-elle pas le symbole organique entre l'action et la réflexion. En effet, remarqua-t-il, le hibou demeure branché visuellement et auditivement sur la totalité de son environnement. Mais l'environnement extérieur ne représente que la moitié de la réalité. L'autre moitié se trouve dans les profondeurs intérieures. Et de même que les frontières de l'environnement spatial peuvent être repoussées à l'infini, la profondeur intérieure n'a pas de limites elle non plus.

À l'exploration de cet univers intérieur qui représente la moitié de son mystère, le hibou consacre exactement la moitié de son équipement visuel, pas plus pas moins. Il ne perd pas contact avec sa réalité intérieure mais il ne s'y perd pas non plus. Heureux, se dit le penseur, si comme le hibou, je garde un œil ouvert sur chacune de ces réalités.

Comment cette histoire peut-elle aider à bien vieillir?

---

91. Cette histoire est tirée de J.-L. HÉTU (1980), *Le hibou évangélique: l'influence de Jésus sur ses disciples d'aujourd'hui*, Montréal, Fides, p. 13.

Les intimes peuvent être mis à contribution quand il s'agit de se réorienter. Une parole judicieuse peut aider à faire la lumière, à résoudre une difficulté ou, tout au moins, soutenir le moral quand l'obstacle persiste. Certains événements peuvent indiquer un chemin à prendre.

Il convient d'être à l'affût de ces indices qui viennent de l'extérieur, et encore plus de comprendre ce qui se passe à l'intérieur de soi. Les conseils de l'extérieur ne sont vraiment profitables que si la sagesse intérieure leur donne un sens.

Certains auteurs conseillent, en effet, de prendre le temps d'assimiler ce qui est vécu, tant sur le plan affectif que sur le plan intellectuel. Ils donnent les conseils suivants.

- D'abord, s'accorder du répit de temps à autre au cours de la journée, adopter une position confortable et prendre plusieurs respirations profondes jusqu'à ce que l'on sente que l'agitation mentale diminue.
- Puis, imaginer qu'on se trouve de nouveau dans une situation qu'on a récemment vécue et qui a rapport avec une décision importante à prendre dans sa vie; imaginer aussi les paroles qui sont dites, ce que l'on voit alors, les odeurs que l'on sent, etc., et décrire les sentiments et émotions qui accompagnent cette représentation mentale: «Je me sens mal d'être vue ainsi. Je suis contente d'entendre ce que... Ça me rassure de les voir... J'ai peur de manquer d'espace... Je me sens coincée par... Je suis ravie par la présence de...»
- Ensuite, déterminer quel est le sentiment ou l'émotion qui domine et le désigner de façon claire afin de pouvoir s'en souvenir au moment de prendre une décision en rapport avec le changement souhaité: «Cette situation m'angoisse, cette maison de retraite m'apporterait de la sécurité, cette activité bénévole me valorise, je ressens souvent de la colère dans cette relation», etc.
- Enfin, choisir l'orientation à prendre en se basant non seulement sur des facteurs externes et sur des motifs rationnels, mais en accordant toute l'importance possible aux émotions associées à la décision éventuelle.

Une orientation nouvelle n'est pas un concept ni une idée. C'est une expérience vécue. D'où l'importance de garder un œil ouvert sur les vibrations intérieures qui se produisent en faveur de telle ou telle décision à prendre, comme le hibou.

Chapitre 3

Repartir sur une route nouvelle

SE PRENDRE EN MAIN

AGIR DE FAÇON COHÉRENTE

MISER SUR SES FORCES

ÉTABLIR DES RELATIONS SIGNIFIANTES

FAIRE UN BILAN

AVOIR UNE VISION APAISANTE
DE SA VIE ET DE SA MORT

3.1 SE PRENDRE EN MAIN

Le courage de s'assumer

Un réveil pénible[92]

Un bon matin, un homme frappe à la porte de son fils. «Jacques, dit-il, réveille-toi! — Je ne veux pas me lever papa», répond Jacques. Alors le père insiste: «Lève-toi, tu dois aller à l'école.» À quoi Jacques réplique: «Je ne veux pas aller à l'école. — Pourquoi? Demande le père. — Pour trois raisons, dit Jacques, la première: l'école m'ennuie; la deuxième: les élèves me tourmentent et la troisième: je déteste l'école. — Eh bien, dit le père, je vais, moi, te donner trois raisons pour lesquelles tu dois aller à l'école, la première: c'est ton devoir d'y aller; la deuxième: tu as quarante-cinq ans et la troisième: tu es le maître d'école.»

Comment cette histoire peut-elle aider à bien vieillir?

---

92. Cette histoire est tirée de A. DE MELLO, *Quand la conscience s'éveille*, p. 11.

Derrière le refus de Jacques de se lever se cache une peur de la réalité. L'attitude de recul devant les défis est souvent instinctive: les défis du quotidien, mais surtout ceux, plus déterminants, qui accompagnent les tournants majeurs de la vie. Même quand on a décidé de faire face à une situation, la tentation de démissionner est toujours présente. Car repartir sur une route nouvelle, après avoir fait ses deuils et après avoir tourné la page, demande une bonne dose de courage et de force intérieure.

On ne s'étonne pas trop de voir le père de Jacques, sans doute un homme du troisième âge, plaider pour la responsabilité et le courage. Les têtes blanches sont souvent elles-mêmes des modèles de courage. Dans les étapes antérieures de leur vie, elles ont dû se prendre en main et vaincre leur peur des nouveaux défis, et elles ont souvent senti que leur vitalité s'en était accrue. Aussi font-elles preuve d'une certaine sagesse en incitant au courage de s'assumer.

Les témoignages des aînés ainsi que leurs conseils, par exemple, aux nouveaux retraités vont généralement en ce sens. Ces derniers sont encouragés à prendre des initiatives, à poursuivre des buts en rapport avec leurs capacités et à s'adonner à des activités qui correspondent à leurs intérêts. Ils savent d'expérience que ce sont autant de moyens d'affronter le vieillissement et de se garder du désœuvrement et de la résignation.

L'initiative vient de soi

La clef du monastère[93]

Dans un monastère du Japon, des novices qui se préparaient à la vie religieuse se disaient insatisfaits de l'enseignement qui leur était donné. Ils reprochaient à leurs deux maîtres spirituels de ne pas leur indiquer assez clairement les voies de leur accomplissement.

Un jour, le maître Chao-Chou s'enferma dans la cuisine du monastère et l'enfuma délibérément avant d'appeler au secours à grands cris. Les jeunes moines alertés par ses hurlements accoururent, mais il refusa de leur ouvrir. Peu de temps après, le grand maître Nan-Chuan, sans un mot, passa la clé par la fenêtre. Chao-Chou, apparemment satisfait, ouvrit la porte et sortit sans dire un mot.

Nan-Chuan aurait pu ouvrir la porte de l'extérieur. Mais il voulait enseigner aux moines qu'il leur revient à eux d'ouvrir de l'intérieur, c'est-à-dire de trouver en eux leur propre voie.

Comment cette histoire peut-elle aider à bien vieillir?

---

93. Cette histoire est adaptée de J.-M. VARENNE (1983), *Le zen*, Paris, Albin Michel, p. 105.

Très souvent, un sentiment persistant d'insatisfaction à l'égard d'un aspect de sa propre vie indique qu'il est temps de prendre une route nouvelle. Les maîtres des moines novices ont attendu que les jeunes moines éprouvent une insatisfaction par rapport à leur évolution spirituelle pour les inciter à changer. En effet, l'insatisfaction motive la personne à se mettre en route quand sa vie ne correspond pas à ses idéaux et à son identité profonde.

Un grand nombre de nouveaux retraités profitent de ce tournant dans leur vie pour tenter de combler le fossé qui sépare ce qu'ils font de ce qu'ils sont et désirent être. Ils décident, par exemple, de revitaliser leur relation conjugale, de mettre fin à certains abus qui menacent leur santé, de consacrer du temps à un engagement communautaire, de se délester de ce qui est superflu dans leur vie pour grandir sur le plan spirituel, etc.

Le désir de s'accomplir constitue un des éléments qui favorisent le plus un vieillissement heureux. Il pousse à prendre des décisions concrètes qui amènent des changements. «La personne engagée dans un processus de réalisation de soi [...] sélectionne un certain nombre de valeurs qu'elle poursuit à titre de buts ultimes. Une vie accomplie est ainsi une vie heureuse[94].»

---

94. C. Vandenplas-Holper, *op. cit.*, p. 120.

L'audace du premier pas

Une tortue qui prend des risques[95]

Dans cette histoire italienne, le dialogue se tient entre une tortue et un crapaud, sous un pont tout au bord d'une rivière.

Un soir, une tortue décide pour la première fois de sa vie de s'en aller faire un tour dans la nuit. Un crapaud qui la voit lui dit: «Quelle imprudence de sortir à pareille heure!» Mais la tortue continue son chemin sans se soucier des bons conseils de son ami. Il lui arrive cependant de faire un pas plus long que l'autre et de se retrouver sur le dos. Le crapaud s'exclame aussitôt: «Je te l'avais bien dit, c'est une imprudence et tu vas y laisser la vie.» Les yeux remplis de malice, la tortue répond: «Je le sais bien. Mais pour la première fois, je vois les étoiles.»

Comment cette histoire peut-elle aider à bien vieillir?

---

95. Cette histoire est tirée de G. RINGLET, *op. cit.*, p. 224.

La tortue ose apporter du neuf dans sa vie: sortir dans la nuit. Son audace est plus forte que sa peur, plus déterminante que les conseils dissuasifs de son entourage, et plus grande encore que les risques qu'elle a décidé d'encourir.

L'histoire le dit: la tortue fait bientôt un faux pas et se retrouve sur le dos. Cette maladresse n'est pas sans rapport avec une situation antérieure dans la vie de la tortue, comme si elle devait, dans l'obscurité, réapprendre à marcher. Elle se retrouve, en effet, en équilibre instable, sans repères familiers, déterminée malgré tout à avancer sur le pont. Mais, récompense gratifiante et inattendue entre toutes, elle découvre au-dessus d'elle un firmament rempli d'étoiles.

Entreprendre une nouvelle vie, prendre des initiatives, oser réaliser certains projets, c'est, même à un âge avancé, faire de nouveau l'expérience des premiers pas. Observons un enfant qui apprend à marcher. À la fois excité et craintif, il avance, tombe, se relève et tombe encore. Pourtant, il continue d'essayer, jusqu'à ce qu'un jour, il arrive à marcher pour de bon.

Une retraitée fait un premier pas quand, cédant aux instances de son entourage, elle consent à aller deux fois pas semaine au café des aînés de sa localité. Elle tente de sortir de sa peine et de son isolement et de se remettre de la perte de son conjoint. Un autre retraité fait lui aussi un premier pas quand, après un infarctus, il rompt avec ses habitudes et s'oblige à faire une marche tous les jours.

Ainsi, l'audace de faire un premier pas permet de s'accomplir vraiment et de faire des découvertes surprenantes.

Le piège de l'insouciance

Le conseil du maître jardinier[96]

Un maître jardinier, célèbre pour son habileté à grimper aux plus hauts arbres et à les émonder, faisait passer un examen à son élève en lui demandant d'escalader un arbre très élevé. De nombreuses personnes étaient venues assister à l'épreuve. Le maître jardinier, debout, très calme, suivait attentivement chaque mouvement sans dire un mot. Ayant émondé le sommet, l'élève redescendit et il n'était plus qu'à trois mètres du sol lorsque le maître cria brusquement: «Fais attention, prends garde!» Lorsque l'élève fut en sécurité au sol, un homme demanda au maître jardinier: «Vous n'avez pas prononcé un seul mot quand il était là-haut, à l'endroit le plus dangereux. Pourquoi lui avez-vous dit d'être prudent alors qu'il était presque en bas?» «Quand il était là-haut au sommet, répliqua le maître jardinier, il était conscient du danger et son attention était élevée. Mais près de la fin, quand il commença à se sentir en sécurité, c'est alors qu'un accident aurait pu se produire.»

Comment cette histoire peut-elle aider à bien vieillir?

---

96. Histoire transmise par un collègue sans la mention d'un nom d'auteur.

La deuxième moitié de la vie est généralement plus propice à l'apparition de problèmes de santé. Les statistiques révèlent que beaucoup de personnes vieillissantes sont victimes de maladies dites de civilisation, telles que l'hypertension artérielle, l'athéro-sclérose, le cancer, l'arthrite et les maladies respiratoires.

Il est également connu que les gens souffrant de l'une de ces maladies suivent scrupuleusement, au début, les recommandations qui permettent de les mettre sur la voie du rétablissement. Ils sont en quelque sorte comme l'élève du jardinier qui, conscient du danger, montre une grande vigilance pendant qu'il élague la tête des arbres. Tout danger paraissant écarté, l'insouciance s'installe.

Hubert de Ravinel[97] a bien fait ressortir cette tendance de l'être humain à tomber dans l'insouciance quand le danger semble passé. L'aiguillon de la peur de la mort finit par s'émousser. À mesure que les effets des épreuves s'atténuent, les vieilles habi-tudes prennent le dessus. On fait comme si rien ne s'était passé et, tôt ou tard, les modes de vie inappropriés qui avaient contribué à créer des problèmes de santé font de nouveau leur apparition, et la personne redevient vulnérable.

Il importe de se rappeler le message du maître jardinier quand le danger semble écarté. Le maintien d'un mode de vie sain favo-rise la récupération à la suite de troubles de santé majeurs et contribue à ralentir le processus de vieillissement.

---

97. H. DE RAVINEL (1997), *Vieillir au masculin: accepter le passage du temps*, Montréal, Édi-tions de l'Homme, p. 37.

Sans direction[98]

Un Chinois partit de son pays dans le bassin du fleuve Jaune pour se rendre au royaume du Chu dans le bassin du Yangzi. Tout le monde sait que le royaume du Chu est au sud. Cependant, cet homme monta dans sa voiture attelée et se fit conduire vers le nord.

Sur la route, on essaya de le détromper: «Voyons, vous vous trompez de route. Pour se rendre au royaume de Chu, il faut se diriger vers le sud. Pourquoi allez-vous dans la direction opposée?» Le voyageur répondit: «Ça ne fait rien. J'ai là de bons chevaux qui vont vite.
— Vous pouvez avoir de bons chevaux, mais si vous continuez à avancer dans cette direction, vous n'arriverez pas au royaume de Chu. — Ça ne fait rien. J'ai beaucoup d'argent sur moi. — Vous pouvez avoir beaucoup d'argent, ça ne vous servira à rien; si vous persistez dans cette direction, jamais vous n'arriverez au royaume de Chu. — Ça ne fait rien. J'ai là un cocher qui sait conduire à merveille.»

Ainsi, s'obstinait le voyageur qui voulait se rendre au royaume de Chu en se dirigeant vers le nord. Finalement quelqu'un lui dit: «D'avance je vous mets en garde: meilleurs sont vos chevaux, plus garnie votre bourse et plus habile votre cocher, plus vous vous éloignerez du royaume de Chu.»

Comment cette histoire peut-elle aider à bien vieillir?

---

98. Cette histoire est tirée de *Fables de la Chine antique*, p. 52.

On imagine que l'attelage tournera en rond quelque temps jusqu'à ce que le voyageur de l'histoire se ravise et fasse route vers le
sud.

Certains nouveaux retraités ressemblent à ce voyageur. Pendant
leur vie active, ils ont déployé ambitions, argent et talents afin de
répondre aux objectifs sociaux d'efficacité et de rendement. Le
temps qu'ils consacraient à leurs loisirs et à la famille était réduit
au minimum.

Habitués à ce rythme fébrile, ils le gardent une fois la retraite
arrivée; ils veulent tout essayer et rapidement. Ce besoin d'activité
est évidemment plus intense si l'on jouit d'une bonne santé et de
ressources. Cependant, on finit par avoir l'impression de tourner
en rond.

Des chercheurs mettent en évidence le rôle important joué par
cette folle agitation. La retraite est alors «un temps privilégié pour
se détacher le corps et l'esprit des contraintes subies pendant très
longtemps et reprendre un contact vital avec ses propres rythmes
et ses propres inspirations»[99].

Comme le voyageur de l'histoire, la personne retraitée prendra
éventuellement une direction qui sera plus en accord avec les buts
qu'elle veut désormais poursuivre.

---

99. G. PLAMONDON, L. PLAMONDON et J. CARETTE (1984), *Les enjeux après cinquante ans*,
    Paris, Robert Laffont, p. 72.

3.2 AGIR DE FAÇON COHÉRENTE

Des objectifs réalistes et motivants

L'homme qui plantait des arbres[100]

Au cours d'une de ses promenades en Haute Provence, Jean Giono a un jour rencontré un personnage extraordinaire: un berger solitaire et paisible qui plantait des arbres, des milliers d'arbres.

Le berger alla chercher un petit sac et déversa sur la table un tas de glands. Il se mit à les examiner l'un après l'autre avec beaucoup d'attention, séparant les bons des mauvais [...] Quand il eut du côté des bons un tas de glands assez gros, il les compta par paquets de dix. Ce faisant, il éliminait encore les petits fruits ou ceux qui étaient légèrement fendillés, car il les examinait de fort près. Quand il eut ainsi devant lui cent glands parfaits, il s'arrêta et nous allâmes nous coucher.

Le lendemain, avant de partir, il trempa dans un seau d'eau le petit sac où il avait mis les glands soigneusement choisis et comptés [...] Arrivé à l'endroit où il désirait aller, il se mit à planter sa tringle de fer dans la terre. Il faisait ainsi un trou dans lequel il mettait un gland, puis il rebouchait le trou. Il plantait des chênes [...] Il planta ainsi ses cent glands avec un soin extrême. Après le repas de midi, il recommença à trier sa semence. Depuis trois ans il plantait des arbres dans cette solitude. Il en avait planté cent mille. Sur les cent mille, il comptait encore en perdre la moitié, du fait des rongeurs ou de tout ce qu'il y a d'impossible à prévoir dans les dessins de la Providence. Restaient dix mille chênes qui allaient pousser dans cet endroit où il n'y avait rien auparavant. C'est à ce moment-là que je me souciai de l'âge de cet homme. Il avait visiblement plus de cinquante ans. Cinquante-cinq, me dit-il. Il s'appelait Elzéard Bouffier.

---

100. Ce récit est tiré de J. GIONO (1983), *L'homme qui plantait des arbres*, Paris, Gallimard, p. 17.

Ainsi, au fil des ans, un homme seul allait rendre vie à une contrée aride et désolée.

Comment cette histoire peut-elle aider à bien vieillir?

On connaît tous des personnes qui, à un âge avancé, accomplissent des tâches qui sont leur raison de vivre. Elles ont su trouver des activités qui correspondent à leurs intérêts profonds et auxquelles elles s'adonnent avec plaisir. Rita Levi-Montalcini fait partie de cette catégorie de personnes. Elle a obtenu un prix Nobel de médecine en 1986. À 90 ans, elle est encore un exemple d'engagement professionnel et social[101].

Dans un ouvrage récent, Rita Levi-Montalcini[102] part en guerre contre les idées reçues en matière de vieillissement. Les conclusions de ses travaux sur le développement des cellules du système nerveux l'amènent à affirmer que le cerveau humain dispose de capacités exceptionnelles que chacun peut développer jusqu'à un âge très avancé.

Parlant d'elle-même, elle déclare: «Je suis très vieille, mais je travaille comme lorsque j'étais très jeune. J'ai tant de choses à dire, tant de possibilités scientifiques à développer.» Elle se défend d'être un cas particulier: «Nous sommes tous responsables de notre vieillesse.» Éprouvant des problèmes de vision, elle se tient au courant des parutions à caractère culturel, scientifique et philosophique en écoutant des enregistrements de livres.

Pour cette lauréate du prix Nobel, tout le monde peut avoir une belle vieillesse si le cerveau est en bonne condition. Et un cerveau en bonne condition, «c'est un cerveau qui travaille continuellement», déclare-t-elle sans ambages. Pour illustrer ce principe, elle souligne que de 8 à 92 ans, Picasso n'a pas cessé d'être un génie et que Michel-Ange a réalisé son plus grand chef d'œuvre à l'âge de 90 ans. Elle ajoute qu'à un âge très avancé, Michel-Ange est devenu architecte et poète.

Rita Levi-Montalcini révèle que la meilleure façon de vieillir est de se cultiver, de faire travailler ses méninges, quelle que soit l'activité choisie: «C'est cela dont vous êtes responsable.»

Elle dévoile un élément important de sa manière d'envisager la vie quand elle commente la citation suivante, mise en épigraphe à

---

101. Les paragraphes suivants s'inspirent d'un entretien que Rita Levi-Montalcini a accordé à Valérie Colin-Simard de la revue *Elle* n° 2334, 1999, p. 63.
102. R. Levi-Montalcini (1999), *L'atout gagnant*, Paris, Robert Laffont.

son plus récent ouvrage: «La vie, c'est comme peindre un tableau, et non pas comme faire une addition [...] Faire une addition, c'est rationnel. La vie est si belle, si riche et si complexe qu'elle n'a rien à faire avec l'arithmétique. On additionne les choses identiques; c'est une opération limitée. Dans un tableau, on peut tout mettre. Chaque moment de la vie fait partie du tableau.»

Des connaissances et des compétences
en rapport avec les défis

La leçon du batelier[103]

Un savant faisait, un jour, une promenade en mer. Il demanda au batelier: «Connais-tu l'astronomie? — Non, répond le batelier. — Pauvre toi, dit le savant, tu as perdu un quart de ta vie. Connais-tu un peu la physique? — Non, je ne la connais pas. — Alors tu as perdu deux quarts de ta vie. Mais peut-être connais-tu la chimie? — Absolument pas, je n'en ai jamais entendu parler. — Quelle ignorance! Tu as perdu les trois quarts de ta vie.»

Pendant ce temps, la barque avançait sur la haute mer... Soudain éclata un orage, la mer devint de plus en plus houleuse, la tempête menaça... «Savez-vous nager, monsieur le savant? demanda le batelier. — Non, je ne sais pas. — Eh bien vous allez perdre, vous, les quatre quarts de votre vie!»

Comment cette histoire peut-elle aider à bien vieillir?

---

103. Histoire transmise par Internet sans la mention d'un nom d'auteur.

Sur l'océan de la vie, la vieillesse peut apparaître à certains comme un naufrage, et à d'autres comme une occasion d'apprendre à naviguer autrement. Les retraités qui souhaitent rester dynamiques et actifs le plus longtemps possible ont intérêt à connaître les conditions qui permettent de ralentir le vieillissement.

Certains retraités l'ont compris. Ils se sont donné des habitudes de vie qui pourraient théoriquement les mener jusqu'à cent ans! À l'aide de certains tests mis au point récemment par des chercheurs[104], ils ont pu déterminer les critères d'un mode de vie sain et prometteur. Ces critères sont devenus des objectifs de vie et ils les ont regroupés sous l'étiquette: «Pour bien vieillir»:

- manger une grande quantité de fruits, de légumes et de fibres chaque jour;
- prendre des suppléments nutritifs jugés scientifiquement essentiels (vitamines B, C, E, D et calcium);
- faire entre 30 et 60 minutes d'exercice par jour;
- maintenir un indice de gras corporel ne dépassant pas 25 %;
- faire des activités de détente qui libèrent du stress dysfonctionnel;
- ne pas fumer;
- ne boire aucun spiritueux;
- ne pas boire plus de deux verres de vin par jour;
- ne pas boire plus de trois tasses de café par jour;
- éviter les gras saturés;
- éviter le sucre raffiné;
- éviter les lieux pollués;
- éviter de s'exposer au soleil plus de 15 minutes par jour.

De plus, ces retraités s'efforcent d'entretenir des relations harmonieuses entre eux et avec leur entourage, de s'adonner à des activités stimulantes et de se rendre utiles.

---

104. M. F. Roizen, *op. cit.*, p. 43-57. Voir aussi T. Perls et M. Hutter Silver, «Calculez votre espérance de vie», dans *Psychologies* n° 182, janvier 2000, p. 64.

Du temps pour faire les choses

Joe est pris de panique [105]

L'écrivain Joe Hyams raconte qu'il était sur le point d'abandonner la pratique du hapkido dans les arts martiaux parce qu'il était vraiment découragé du peu de progrès qu'il faisait. Il réalisait qu'il lui manquait énormément de souplesse pour suivre les autres élèves et qu'il lui serait impossible d'atteindre son objectif dans le laps de temps qu'il s'était fixé. Ayant vu son air déprimé, maître Han l'invita à prendre le thé. Soudainement, il lui dit: «Vous n'apprendrez jamais à tirer le meilleur parti de votre effort à moins que vous ne vous donniez le temps. Je pense que vous êtes accoutumé à attendre beaucoup de la vie comme si tout vous était dû, mais cette attitude n'est pas compatible avec la réussite dans la vie, et encore moins avec l'attitude qui convient dans les arts martiaux.» «Il avait touché le cœur de mon problème, dit Hyams. Je m'étais fixé un laps de temps pour apprendre ce qui me convenait en hapkido et j'étais frustré parce que je n'atteignais pas mon but assez vite. Dès que j'eus enlevé de mon esprit cette limite de temps que je m'étais imposée, je ressentis un soulagement comme si je m'étais libéré d'une lourde charge. Ainsi, après quelques mois de pratique, je m'aperçus que je pouvais suivre les autres élèves de la classe et que mes progrès étaient continus.»

Hyams raconte également qu'il utilisa le conseil de maître Han pour résoudre un autre problème qui le hantait. «J'écrivais un livre à la même époque et la gestation était vraiment longue et pénible. Cette situation me frustrait parce que j'avais planifié de commencer un autre projet à bref délai. Devant cette impossibilité, je vivais une pression constante. Dès lors, j'ai pu réaliser que le fait de me fixer une échéance créait une pression constante qui tarissait mon inspiration. Je venais de constater que le scénario que j'avais vécu en hapkido se reproduisait dans mon métier d'écrivain. Je fis disparaître

---

105. Ce récit est traduit et adapté de J. HYAMS (1979), *Zen in the Martial Arts*, Los Angeles, J. P. Tarcher, p. 23.

cette échéance et progressivement, en me donnant le temps, je me remis à écrire à profusion et sans anxiété. Sans me préoccuper du produit final, j'arrivais à bien vivre de façon efficace et créative le processus qui me permettrait d'atteindre mon but.»

Comment cette histoire peut-elle aider à bien vieillir?

Souvent, ce n'est qu'après la première ou la deuxième année de retraite que l'on arrive à reconsidérer son rapport au temps. Le fait de passer de la course effrénée à l'arrêt des activités oblige à trouver progressivement son propre rythme. On en vient à découvrir ce qu'a découvert Joe dans l'histoire: faire ce qui est à faire; vivre ce qui est à vivre, sans regrets ni anxiété, et se donner du temps.

À cette étape-là de l'existence, le temps est mesuré, et il revêt donc plus d'importance que durant la vie active. L'art de vivre à l'âge de la retraite est lié à l'utilisation que l'on fait du temps[106].

Nombre d'ateliers de préparation à la retraite mettent en évidence les liens entre le plaisir que l'on éprouve à vivre et la gestion du temps. Les crises existentielles et les difficultés majeures d'adaptation surviennent généralement quand ce que l'on désire par-dessus tout n'a aucune place dans la vie que l'on mène. L'agenda se remplit d'activités nombreuses et variées, un peu au hasard, au fur et à mesure que les invitations se présentent. On n'a pas fait de choix réel ni établi de priorité. On se distrait, on dit oui à peu près à tout, en dépit de l'ennui ou de l'essoufflement que l'on éprouve.

Dans les dernières étapes de la vie, il y a une certaine urgence à réaliser ses désirs les plus chers. Les gens qui vieillissent bien consacrent le gros de leur temps à des occupations qui ont du sens pour eux.

---

106. C. OLIVEINSTEIN (1999), *Naissance de la vieillesse*, Paris, Odile Jacob, p. 160.

L'entraînement d'un super coq[107]

Un roi désirait avoir un coq de combat très fort et il avait demandé à l'un de ses sujets d'en entraîner un. Au début, celui-ci enseigna au coq la technique du combat. Au bout de dix jours, le roi demanda: «Peut-on organiser un combat avec ce coq?» Mais l'instructeur dit: «Non! Non! Non! Il est fort, mais cette force est vide, il veut toujours combattre; il est excité et sa force est éphémère.» Dix jours plus tard, le roi demanda à l'instructeur: «Alors, maintenant, peut-on organiser ce combat? — Non! Non! Pas encore. Il est encore passionné, il veut toujours combattre. Quand il entend la voix d'un autre coq, même d'un village voisin, il se met en colère et veut se battre.»

Après dix nouvelles journées d'entraînement, le roi demanda encore: «À présent, est-ce possible?» L'instructeur répondit: «Maintenant, il ne se passionne plus, s'il entend ou voit un autre coq, il reste calme. Sa posture est juste et sa tension est forte. Il ne se met plus en colère. L'énergie et la force ne se manifestent pas en surface.» «Alors, c'est d'accord pour un combat?», dit le roi. L'instructeur répondit: «Peut-être.» On amena de nombreux coqs de combat et on organisa un tournoi. Mais les coqs de combat ne pouvaient s'approcher de ce coq-là. Ils s'enfuyaient, effrayés! Aussi n'eut-il pas besoin de combattre... Il avait dépassé l'entraînement technique. Il avait acquis une forte énergie intérieure qu'il projetait sans la disperser. La puissance se trouvait en lui et les autres ne pouvaient que s'incliner devant son assurance tranquille et sa vraie force intérieure.

Comment cette histoire peut-elle aider à bien vieillir?

107. Cette histoire chinoise est tirée de T. DESHIMARU (1983), Zen et arts martiaux, Paris, Albin Michel, p. 68. Elle est aussi rapportée par M. DE SMEDT et T. DESHIMARU, op. cit., p. 30; P. FAULIOT (1988), Les contes des arts martiaux, Paris, Albin Michel, p. 160.

Le roi, homme de pouvoir et de commandement, ne semble pas savoir comment s'acquièrent des compétences; il est surtout impatient de lancer le coq dans l'arène. L'instructeur, homme de savoir-faire, manifeste beaucoup de patience; il prend le temps d'entraîner le coq de façon à s'acquitter le mieux possible de la tâche que le roi lui a confiée. Il prend son temps, c'est-à-dire qu'il laisse le temps faire son œuvre, conformément à la méthode qu'il a choisie pour développer les compétences du coq.

Les exigences nouvelles qui accompagnent la vieillesse requièrent l'acquisition de nouvelles compétences. Prendre le temps de les développer suppose que l'on se regarde comme un être en développement, que l'on reconnaisse son potentiel et que l'on s'engage patiemment dans ce processus. Il a été démontré que des qualités telles que la patience et le courage sont essentielles pour l'acquisition et la maîtrise de comportements adéquats et satisfaisants[108].

Le développement de compétences comporte trois phases. Par exemple, une personne qui voudrait surmonter sa surdité aurait avantage à commencer par préciser les habiletés qu'elle utilise naturellement pour compenser ce handicap. Elle pourrait ensuite recourir à des services professionnels pour développer des capacités compensatoires telles que la lecture sur les lèvres ou l'adaptation à une prothèse auditive. Enfin, elle devrait s'employer à développer sans cesse les capacités nouvellement acquises.

Des facteurs comme la maladie, certains traits de personnalité ou des conditions de vie difficiles peuvent user la patience de la personne âgée et l'amener à se résigner au déclin de ses capacités. Cependant, il est réconfortant de constater que la majorité des personnes vieillissantes s'efforcent, malgré tout, d'utiliser au mieux leurs capacités fonctionnelles[109].

---

108. J. BOTWINICK (1984), cité par J.-L. HÉTU, *Psychologie du vieillissement*, p. 146.
109. C. VANDENPLAS-HOLPER, *op. cit.*, p. 182.

Des enjeux réalistes

Un archer ambitieux[110]

Il était une fois en Chine de jeunes archers qui perdaient tous leurs moyens quand les enjeux de leurs prestations devenaient plus attrayants. Le sage Tranxu leur raconta cette anecdote au sujet d'un archer qu'il avait jadis connu: «Lorsque l'archer tirait sans aucune intention de gagner, il était en possession de tous ses moyens; lorsqu'il tirait pour gagner une boucle de cuivre, il était nerveux; lorsqu'il tirait pour gagner un objet en or, il était aveugle, voyait deux cibles et perdait l'esprit. Son talent était toujours le même, mais la perspective des prix à gagner le neutralisait. Il pensait beaucoup plus à la récompense qu'au tir; le besoin de gagner le privait de son pouvoir.»

Comment cette histoire peut-elle aider à bien vieillir?

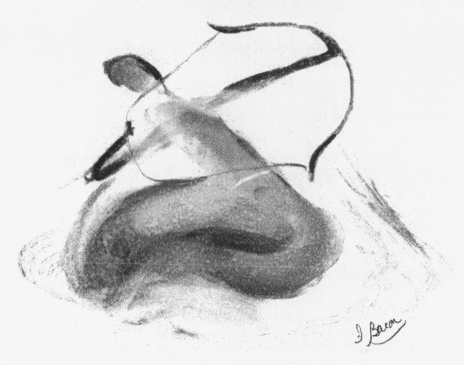

---

110. Histoire transmise par un collègue sans la mention d'un nom d'auteur.

En partie à cause du déclin inévitable de leurs capacités, les «jeunes vieux» qui vieillissent bien reconnaissent que les triomphes liés à la jeunesse, à l'apparence physique ou au rendement sont bien précaires. En même temps qu'ils font l'expérience d'une liberté plus grande par rapport au temps, aux exigences parentales et aux pressions exercées par le milieu de travail, ils prennent leur distance par rapport aux impératifs de performance. L'histoire de l'archer ambitieux rappelle les changements de valeurs qui s'opèrent progressivement dans la vie des retraités.

En effet, de nouvelles valeurs apparaissent dans leur vie: envie, désir ou curiosité, qui les poussent à continuer, mais davantage en concordance avec leurs goûts, leurs talents et leurs aspirations. Les exemples de créativité chez les retraités se multiplient.

Pour Jacques Lafrance[111], c'est à cinquante ans que la vie recommence. Un âge qu'il atteint cette année et qui marque un changement important dans sa vie. «Je veux prendre une orientation différente, tout en demeurant dans le monde du golf. Je fais une croix sur un poste conventionnel de professionnel.» En vingt ans, il a exploré toutes les facettes du métier de professionnel et de la gérance d'un club de golf. Ce temps est terminé. Et ce ne sont pas les projets qui lui manquent. Il songe à l'enseignement, au domaine touristique, même à des projets en France. Il est à la recherche du créneau qui lui plaira le plus. Déjà au stade des projections, une étincelle jaillit en lui, une vision de la vie, nouvelle et signifiante.

Bertha Olivier, 85 ans, de Saint-Nicolas, près de Québec, dit avoir une satisfaction profonde à faire ce qu'elle fait maintenant. «J'aime ça, je pense que j'ai manqué ma vocation», avoue-t-elle avec un rire dans la voix. Elle-même et trois autres comédiens amateurs âgés de 73, 67 et 62 ans communiquent à leurs congénères des messages santé sous forme de sketchs humoristiques[112]. Dans les prochains mois, la troupe fera le tour des douze clubs d'âge d'or de la région. Le projet veut être une réponse originale à des

---

111. R. LABBÉ, «La vie commence à 50 ans», dans *Le Soleil*, 12 septembre 2000, p. C5.

112. M. SAINT-PIERRE, «Les aînés montent sur les planches», dans *Le Soleil*, 10 février 2000, p. A4.

problématiques circonscrites par les personnes âgées elles-mêmes: l'isolement, la solitude, la peur de vieillir, la diminution de l'autonomie et la préparation du testament. Il fait la promotion de la prise en charge des aînés par les aînés.

La créativité a remplacé la course à la performance et à la réussite qui caractérisait l'âge mûr. Chez les aînés, elle contribuerait à accroître le bonheur de vivre ainsi que l'espérance de vie[113].

---

113. J. L. SERVAN-SCHREIBER, «Vivre jeune? N'attendez pas d'être vieux», dans *Psychologies* nº 182, janvier 2000, p. 61.

3.3 Miser sur ses forces

Le recours à ses points forts

Je suis un chat, cela suffit [114]

Il était une fois un grand guerrier, un sabreur hors pair. Un jour, une souris s'installa devant lui et le dévisagea. Personne n'avait jamais osé le regarder avec une telle effronterie. Il saisit son sabre et le leva sur l'animal immobile. Au dernier moment, la souris fit un petit bond et l'arme se brisa par terre. Furieux et vexé, le sabreur recommença encore et encore, mais ne réussit qu'à faire courir la souris qui, finalement, se cacha dans le lit. L'homme appela ses amis: «Cette bestiole est le diable en personne! — Mais non, lui répondirent-ils, ce n'est qu'une petite souris. C'est idiot de la combattre avec un sabre. Allons chercher un chat.»

Les chats de la ville avaient eu vent de l'affaire. «Si cette souris a pu défier un grand guerrier, elle doit être peu banale. Or, que sommes-nous, sinon des chats très ordinaires? Votons pour savoir lequel d'entre nous est le meilleur. C'est lui qui affrontera l'ennemi.» Un chat trembla de tous ses membres en apprenant son élection. Les autres chats, peureux eux aussi, poussèrent leur champion apeuré dans la maison du sabreur. Le chat repassa fébrilement tout ce qu'il avait appris: les façons d'attaquer, les stratégies possibles, les conseils donnés par les anciens. Soudain, la souris courut vers lui. Le chat s'enfuit à toutes jambes. Jamais il n'avait entendu parler d'une telle situation! Il sortit en trombe de la maison.

Les amis du sabreur lui proposèrent alors d'aller chercher le chat du palais. En voyant l'animal, le guerrier fut saisi de doutes. Ce chat n'avait rien de particulier, il était même beaucoup plus petit que le premier. Mais il n'osa critiquer le chat du roi et l'emmena. Le matou entra dans la chambre, croqua la souris et ressortit. Ses congénères s'attroupèrent autour de lui: «Comment as-tu fait? Quel

---

114. Cette histoire zen est adaptée de P. FAULIOT, *op. cit.*, p. 75.

est ton secret? Ça n'a été qu'un jeu d'enfant pour toi!» Le vainqueur répondit: «Je n'ai utilisé aucune feinte secrète; je n'en ai pas besoin. Je suis un chat, cela suffit.»

Comment cette histoire peut-elle aider à bien vieillir?

Lorsqu'on interroge des retraités épanouis et actifs dans une forme quelconque d'engagement social, la majorité d'entre eux avouent que leurs occupations les passionnent et correspondent à ce qu'ils sont. Certains d'entre eux poursuivent un engagement qu'ils avaient déjà quand ils étaient sur le marché du travail. D'autres, jouissant encore d'une excellente santé et désireux de réaliser certains rêves, découvrent, au terme d'une période exploratoire, une activité qui correspond à leur mission dans la vie.

Quel que soit son âge, la personne qui se donne à sa mission est propulsée dans une série d'aventures heureuses et de projets emballants. La réalité peut dépasser ses rêves les plus beaux, car découvrir sa mission et l'accepter totalement nourrit l'estime de soi et encourage à prendre d'autres initiatives[115]. La facilité avec laquelle le chat de l'histoire réussit là où d'autres avaient échoué montre l'intérêt qu'il y a à être conscient de ses forces et à les mettre en œuvre.

Deux champs d'action particuliers attendent actuellement les aînés qui veulent actualiser leurs forces dans un engagement social[116].

La spécialisation, devenue inévitable, fait perdre la vision de l'ensemble. Les aînés peuvent donc mettre à profit leur expérience et leur vision étendue des choses pour donner une vue moins compartimentée et plus globale des événements et des situations.

La perte de valeurs sociales stables et de repères signifiants a souvent conduit les aînés à tolérer l'ambiguïté et à acquérir la capacité d'agir avec une certaine aisance dans les situations ambiguës. Ces acquis leur permettent de jouer un rôle signifiant dans la société actuelle.

---

115. J. MONBOURQUETTE (1999), *À chacun sa mission: découvrir son projet de vie*, Ottawa, Novalis, p. 40.

116. Les idées émises ici sont tirées de J. LANGUIRAND, *op. cit.*, p. 83-96.

L'exploitation de ses capacités

L'aigle de la basse-cour[117]

Un alpiniste découvrit un nid d'aigles abandonné et contenant un œuf. Il l'apporta et le déposa avec les œufs qu'une poule couvait. L'aigle naquit donc au milieu des poussins et apprit à agir comme une poule.

Or un beau matin, l'aiglon vit dans le ciel un grand oiseau qui planait. Il dit: «Un jour, je volerai comme cet oiseau.» Alors ses frères et ses sœurs se mirent à rire de lui; tout honteux, il regretta d'avoir prononcé ces paroles et continua à manger des grains dans l'enclos.

Quand, plus tard, l'alpiniste revint voir l'aiglon, il le trouva bien identifié au monde des poules. Il le prit pourtant dans ses mains et le lança dans les airs; l'aiglon eut à peine le temps d'ouvrir les ailes qu'il atterrit misérablement sur le sol, aux éclats de rire des autres poules.

Mais l'homme ne se découragea pas; il monta sur le toit de la grange et lui dit: «Tu es un aigle, vole», et il le lança dans les airs. Dans un réflexe spontané, l'oiseau ouvrit les ailes, plana au-dessus de la basse-cour et à grands coups d'ailes s'envola vers la montagne.

Comment cette histoire peut-elle aider à bien vieillir?

---

117. Cette histoire est tirée de J. MONBOURQUETTE, *Allégories thérapeutiques*, p. 33.

L'image de l'aiglon s'envolant au-dessus de la basse-cour fait vibrer en nous ce que la psychologie appelle le soi idéal. Celui-ci correspond à ce que le sujet estime qu'il devrait être: soit ses aspirations personnelles, soit ce que valorise son entourage. Dans les moments clés de la vie et dans les étapes de transition, l'aigle qui est en nous bat des ailes, à la recherche de nouveaux horizons.

Il n'est pas rare qu'au tournant de la cinquantaine ou de la soixantaine, des événements accablants acculent les personnes à la question fondamentale du sens de la vie et, plus particulièrement, du temps qu'il leur reste à vivre. Il faut alors choisir entre la continuité — le *statu quo* — et le changement de cap. Les choix concernent généralement la santé et les habitudes de vie, les relations avec le conjoint et avec les proches, l'emploi du temps, les engagements sociaux, le temps consacré aux questions spirituelles, etc.

Il existe une autre version de l'histoire de l'aigle[118] dans laquelle celui-ci ne parvient pas à s'envoler. Il passe donc le reste de ses jours dans l'enclos des poules. La conclusion est moins exaltante certes, mais elle fait voir qu'il est difficile de changer, de créer du neuf dans sa vie et de continuer à avancer sur la route choisie.

Dans *Se sentir bien dans sa peau*, Maxwell Maltz[119] énumère vingt types de comportements observables à la retraite, rangés en deux catégories. Dans la première catégorie figurent les comportements découlant de la résignation, tels que ceux de l'aigle qui vit dans l'enclos: le recul, l'évitement, la tendance à renoncer, l'impuissance, la démission, l'évasion, l'atermoiement, l'ennui, l'absence de but, la négligence à l'égard de soi-même. La seconde catégorie regroupe les comportements des personnes qui vivent pleinement leur retraite, à la manière de l'aigle qui prend son envol: le premier pas, la conviction, le courage d'agir, l'imagination, la réaffirmation, la responsabilité, l'ici et maintenant, l'enthousiasme, la poursuite d'un objectif et le souci de soi.

---

118. M. ZDENEK (1987), *Inventing the Future: advances in imagery that can change your life*, New York, McGraw-Hill, p. 12.

119. M. MALTZ (1982), *Se sentir bien dans sa peau*, Brossard (Québec), Éditions Un monde différent, p. 194.

3.4 Établir des relations signifiantes

Le regard qui fait naître

La vision du rabbin[120]

Un monastère traversait une période difficile. Cinq religieux âgés demeuraient encore dans la maison-mère décrépite: le supérieur et quatre moines. Visiblement, la congrégation s'éteignait. Le monastère était entouré d'une forêt profonde où se trouvait une petite cabane qu'un rabbin de la ville voisine utilisait parfois comme ermitage.

Un jour qu'il s'y trouvait, le supérieur eut l'idée de lui rendre visite pour lui demander si par hasard, il n'avait pas quelques conseils à lui donner pour sauver le monastère. Le rabbin accueillit très fraternellement le supérieur dans sa cabane, mais ne put que compatir à son sort et prier avec lui. Quand le supérieur fut sur le point de prendre congé, il réitéra sa demande: «Ne pouvez-vous pas me donner le moindre petit conseil qui m'aiderait à sauver ma congrégation de la mort?» Le rabbin osa une réponse mystérieuse: «Je n'ai pas de conseil à vous donner, je peux seulement vous dire que le Messie est l'un d'entre vous.»

Au monastère, les moines entourèrent le supérieur, impatients de connaître les recommandations du rabbin. Leur supérieur rapporta, mot pour mot, la parole énigmatique qu'il avait entendue. Au cours des jours, des semaines et des mois qui suivirent, les moines ruminèrent la parole du rabbin, se demandant s'il était possible de lui donner une signification quelconque. Le Messie est l'un d'entre nous? A-t-il vraiment voulu dire l'un d'entre nous, ici au monastère? Tout en réfléchissant de la sorte, les moines se mirent à faire preuve d'un très grand respect dans leurs rapports mutuels, au cas où l'un

---

120. Ce récit est adapté de A. De Mello (1994), *Dieu est là dehors: méditations sous forme d'histoires*, Montréal/Paris, Éditions Bellarmin/Desclée de Brouwer, p. 80.
Il est également rapporté par M. S. Peck (1993), *La route de l'espoir: pacifisme et communauté. La dernière chance de la planète*, Paris, Flammarion, p. 17.

ENCORE LA VIE DEVANT SOI

d'entre eux serait le Messie. Et puisqu'il existait une chance raris-
sime pour chacun d'entre eux d'être le Messie, chacun commença
à se traiter lui-même avec un infini respect.

Le monastère était situé dans une magnifique forêt. Parfois, des
gens s'y arrêtaient pour s'y promener et se rendaient à la chapelle
en ruines pour une visite. Sans même en être conscients, ils sen-
taient confusément qu'une atmosphère d'un infini respect entourait
désormais les cinq vieux moines. Elle semblait irradier de leur personne et gagner l'esprit des lieux. Le phénomène avait quelque
chose d'irrésistible. Les gens se rendirent plus souvent et plus nombreux au monastère. Puis il arriva que quelques jeunes gens en
visite au monastère se mirent à parler de plus en plus longuement
avec les vieux moines. Après un certain temps, l'un des jeunes gens
demanda s'il pouvait se joindre à eux. Puis un autre et un autre. Le
monastère redevint une congrégation florissante et, grâce au cadeau
du rabbin, un lieu vibrant de spiritualité.

Comment cette histoire peut-elle aider à bien vieillir?

Monique, Paul, Jacqueline, Hubert et Pauline sont des aînés socialement actifs. Leurs occupations sont les suivantes: gérer un comptoir de vêtements, diriger une ligue régionale de hockey, militer pour la construction d'habitations à loyers modiques, mettre sur pied un programme de la Croix-Rouge dans sa localité, secourir des gens dans le besoin par l'entremise de S.O.S. Secours.

Les aînés socialement actifs se démarquent de l'âgisme, des préjugés et des attitudes discriminatoires qui les réduiraient à un rôle de spectateurs et de consommateurs. Ils auraient pu, au moment de la retraite, donner raison aux tendances et aux structures sociales existantes. Mais ils n'ont pas voulu devenir des citoyens de seconde zone. En jouant un rôle social actif, ils dénoncent et corrigent à leur façon la vision que l'on a des aînés et ils amènent les gens de leur entourage à les regarder autrement[121]. Ils font penser aux moines de l'histoire qui, en modifiant la perception qu'ils avaient d'eux-mêmes et en changeant leur comportement, ont permis à leur monastère d'amorcer un nouveau départ.

De tels nouveaux départs effectués par des aînés sont de plus en plus nombreux. Par exemple, le «Pont entre les générations» rassemble des aînés et des jeunes adultes provenant de divers milieux qui partagent un même souci d'équité entre les générations[122]. Cet organisme veut être l'interprète de la conscience collective afin de rappeler à l'État son rôle de garant de l'intérêt public. Il dévoile au grand jour les conséquences des retraites massives, de la multiplication des clauses «orphelin» dans les contrats de travail et de l'immense dette publique que notre société est en train de refiler aux générations montantes.

---

121. J. CARETTE, *op. cit.*, p. 104.
122. S. LEFEBVRE, «Pour transmettre aux jeunes un héritage qui ne soit pas piégé», *Le Soleil*, 14 février 2000, p. B9.

Une interdépendance nourrissante

Manger avec des baguettes[123]

Un mandarin partit un jour dans l'au-delà. Il arriva d'abord en enfer. Il y vit beaucoup de personnes attablées devant des plats de riz; mais toutes mouraient de faim, car elles avaient des baguettes longues de deux mètres et ne pouvaient s'en servir pour se nourrir.

Puis il alla au ciel. Là aussi, il vit beaucoup de personnes attablées devant des plats de riz; toutes étaient heureuses et en bonne santé. Elles avaient également des baguettes longues de deux mètres, mais chacune s'en servait pour nourrir la personne qui était assise en face d'elle.

Comment cette histoire peut-elle aider à bien vieillir?

---

123. Histoire transmise par Internet sans la mention d'un nom d'auteur.

Quand il est question de choisir de nouvelles occupations, au moment de la retraite, bien des personnes disent qu'elles aimeraient consacrer du temps aux autres, mais elles ne voient pas comment elles pourraient leur venir en aide. Elles déclarent qu'elles n'ont ni l'habitude ni la capacité de s'occuper des gens dans le besoin.

> Si seulement elles savaient tous les domaines que l'action bénévole peut couvrir, elles verraient jusqu'à quel point leurs talents pourraient être d'un grand secours: l'écoute en relation d'aide, l'organisation d'événements culturels ou sportifs, des travaux de rénovation ou d'entretien, la participation à des groupes d'entraide dans lesquels œuvrent déjà des gens de toutes compétences et de tous âges: des parents, des enseignants, des travailleurs sociaux, des infirmières, des policiers, etc.[124].

Il s'agit de se demander tout bonnement ce que l'on sait faire. La nature et la qualité des rapports avec les autres que l'on a établis et entretenus tout au long de sa carrière peuvent aider à déterminer quelle forme peut prendre l'engagement social. En choisissant un engagement qui fait appel à sa compétence, à sa forme d'intelligence et à sa sensibilité, on a toutes les chances de pouvoir donner le meilleur de soi-même. On ressemble en quelque sorte aux personnes de l'histoire qui ont appris à se servir de leurs baguettes pour se nourrir les unes les autres.

---

124. H. DE RAVINEL, *Vieillir au masculin: accepter le passage du temps*, p. 81.

La force d'un réseau

Les oies sont en route [125]

Une équipe de travail d'environ cinquante personnes connut une situation dramatique qui marqua plus profondément une vingtaine d'entre elles. Leurs moments de rencontre étaient douloureux. Quels mots dire qui puissent apporter soutien et réconfort? L'un des membres du groupe prit un jour la parole: «La nature, si nous savons l'observer et l'interroger, peut donner des leçons de vie. Cette semaine, les oies m'ont livré un message d'espoir. J'ai vu les oies mettre le cap sur le sud... volant en V... Et j'ai pensé à ce que la science a découvert sur les raisons pour lesquelles elles volent de cette façon: les battements d'ailes d'une oie créent un coussin d'air qui soutient l'oie se trouvant juste derrière elle.

En volant en V, les oies peuvent parcourir une distance d'au moins 70 % plus grande que si chaque oie volait toute seule. Lorsqu'une oie sort des rangs, elle sent une résistance soudaine et reprend vite sa place afin de profiter du coussin d'air provoqué par l'oie se trouvant juste devant elle. Quand l'oie qui vole à la pointe est fatiguée, elle laisse sa place et une autre oie vole en tête. Les oies cacardent depuis derrière pour encourager celles qui sont en tête à garder leur vitesse.

Enfin, lorsqu'une oie devient malade ou est blessée et qu'elle sort du V, deux autres oies l'accompagnent afin de l'aider et de la protéger. Elles restent avec l'oie blessée jusqu'à ce que celle-ci soit capable de voler ou jusqu'à ce qu'elle meure, et seulement à ce moment, repartent ensemble ou avec une autre volée pour rattraper leur propre groupe.

Comment cette histoire peut-elle aider à bien vieillir?

---

125. Histoire transmise par un enseignant qui n'en connaissait pas l'auteur.

La nature a inscrit la solidarité dans le comportement des oies afin d'assurer leur survie. On peut se demander, hypothétiquement, ce qu'il adviendrait de cette solidarité si, pendant quelques années, on modifiait leurs conditions de migration en les transportant d'un lieu à un autre au lieu de les laisser libres.

Le fait de voyager sans être obligées d'êtres solidaires les unes des autres aurait-il pour effet de faire disparaître ce comportement instinctif? En vertu des lois de la «trainabilité», on serait porté à croire que, une fois domestiquées, les oies sauvages perdraient progressivement une partie de l'acuité sensorielle qui leur permet de manifester une telle solidarité.

Les liens sociaux qui unissaient jadis les membres de notre société ne ressemblent-ils pas, depuis quelques années, à ceux d'oies sauvages qui auraient été domestiquées?

Avant les années 1960, au Québec, on avait coutume de compter les uns sur les autres et on était en mesure de définir ensemble les valeurs et les objectifs de la société. Cette ère de solidarité a créé un climat social et économique qui a permis d'établir un contrat social entre la société et l'État[126]. À partir de 1960, les choses commencent à se compliquer. Les praticiens de la solidarité qui étaient à l'œuvre dans tous les domaines — éducation, santé, loisirs, etc. — sont en bonne partie remplacés par des spécialistes diplômés. Le travail et la productivité deviennent des valeurs socialement consacrées. Dans ces circonstances apparaît la catégorie des exclus — les sans-emploi, les inutiles, les gens de trop — que l'État finit par prendre en charge. Peu à peu, les citoyens, préoccupés avant tout par leurs problèmes personnels, deviennent des consommateurs de services subventionnés par l'État. N'ayant plus à prendre une part active dans des activités propres à créer des liens sociaux, ils perdent progressivement cet esprit de solidarité qui caractérisait la société.

Mais, depuis quelques années, l'État, accablé de dettes, ne peut plus garantir à la population plusieurs des services qu'il assurait auparavant. Il abandonne à la famille et aux collectivités locales le

---

126. Plusieurs idées énoncées dans les paragraphes suivants sont tirées de L. LAPLANTE, «La solidarité à l'heure de l'individualité», dans *Revue Notre-Dame*, octobre 1997, p. 1-13.

soin d'accomplir certaines tâches. Le bénévolat, autrefois discrédité, refait surface. Les praticiens de la solidarité sont plus que jamais en demande dans les écoles, les hôpitaux et les organismes d'entraide.

Cependant, la population a délaissé les réseaux de solidarité. Les citoyens consommateurs, dépendant de l'État-providence, ont d'abord besoin d'être sensibilisés à la solidarité pour s'engager dans l'établissement d'un nouveau contrat social.

Les retraités sont des acteurs sociaux qui sont bien placés pour donner envie de changer des choses et pour ouvrir des chantiers de solidarité. D'ailleurs, plusieurs d'entre eux sont déjà à l'œuvre dans des groupes populaires et communautaires qui aident les gens à prendre la parole, à changer la façon dont ils se voient eux-mêmes ainsi qu'à connaître et à défendre leurs droits.

L'effet du chacun-pour-soi

Apportez votre vin [127]

On célébrait une noce. Il fallait que ce soit la fête pour tout le monde. La joie partagée, pensaient les organisateurs, donne du bonheur partagé.

Ils demandèrent donc que chaque invité apporte une bouteille de vin rouge de la région: à l'entrée se trouverait un grand tonneau et chacun y viderait sa bouteille. Ainsi chacun boirait du don de chacun et aurait de la joie.

Quand commença la fête, les serviteurs se rendirent près du grand tonneau de mélange et y puisèrent à grandes cruches. Leur étonnement fut des plus grands quand ils remarquèrent que c'était de l'eau! Ils furent comme pétrifiés quand ils se rendirent compte que chacun avait pensé: l'unique bouteille d'eau que j'y ajoute passera inaperçue; personne ne la remarquera ni ne la goûtera! Maintenant ils savaient que chacun avait pensé ainsi. Que chacun avait pensé: je vais profiter de ce que les autres vont apporter.

Ce fut une rencontre bien insipide, non seulement parce qu'il n'y avait que de l'eau à boire! Et quand, à la lune montante, les joueurs de flûte se turent, chacun s'en retourna chez lui en silence, sachant que la fête n'avait jamais débuté!

Comment cette histoire peut-elle aider à bien vieillir?

---

127. Histoire transmise par un collègue sans la mention d'un nom d'auteur.

Pas plus que les organisateurs de la fête qui n'ont pu se passer de l'écot des convives, la société actuelle ne saurait se passer de la participation active des retraités.

Beaucoup de retraités bénévoles se donnent pour tâche de répondre aux besoins de toute nature d'individus ou de groupes d'individus démunis. Étant donné le désengagement progressif de l'État-providence, ils occupent un espace qui, sans eux, resterait inoccupé. Ils consacrent entre deux heures et plusieurs jours par semaine à leur travail bénévole. Certains ont même abandonné leurs occupations professionnelles pour pouvoir se vouer à un service bénévole. Grâce à leur apport, un grand nombre de gens peuvent subvenir à leurs besoins matériels, sortir de leur isolement et, souvent, de leur détresse.

D'autres aînés sont socialement actifs dans des comités, des associations, des conseils d'administration, des regroupements de citoyens. Ils œuvrent dans des projets collectifs et intergénérationnels visant à améliorer les structures sociales ainsi que les conditions de vie de leur concitoyens de tous âges. Dans «Les seniors inventent déjà de nouveaux modèles de vie», François de Singly[128] décrit un modèle de société qui combine l'utilité sociale, la production économique, la qualité de vie et le plaisir.

Certes, tous les retraités ne sont pas engagés de la sorte dans leur milieu. *On a tout donné pendant tant d'années, c'est à notre tour de recevoir.* La retraite-loisirs est un type de retraite qui a actuellement la faveur de certains aînés. Ces personnes occupent à se détendre le temps qu'elles consacraient autrefois au travail et aux enfants. Les activités de consommation remplacent les activités de production.

Lequel de ces trois types de retraite amène un vieillissement heureux? La satisfaction de l'individu à l'endroit de sa vie présente est le premier indice d'un vieillissement réussi. La disposition à l'action communautaire varie selon la personnalité et l'expérience personnelle. Cependant, avec l'âge, la conscience des enjeux sociaux peut devenir plus vive et pousser à accomplir des actions

---

128. F. DE SINGLY, «La retraite: un nouveau départ», dans *Psychologies* n° 182, janvier 2000, p. 76.

solidaires. Selon Jung, la vieillesse apporte souvent une ouverture à la solidarité. La personne peut se sentir de plus en plus en communion de destin avec ses semblables et en venir à éprouver une grande satisfaction à s'insérer dans un projet qui dépasse ses intérêts personnels.

Les exigences des rapports humains

La famille des porcs-épics[129]

Un jour d'hiver particulièrement glacial, les porcs-épics d'un troupeau se serrent les uns contre les autres afin de se protéger du froid par leur chaleur réciproque. Seulement voilà: douloureusement gênés par leurs piquants, ils ne tardent pas à reprendre distance. Obligés de se rapprocher à nouveau en raison du froid persistant, ils éprouvent, une fois de plus, le désagréable contact de leurs épines naturelles. Et ce petit jeu d'éloignement et de rapprochement va encore se poursuivre jusqu'à ce qu'ils trouvent une «distance convenable» et se sentent enfin à l'abri des maux.

Comment cette histoire peut-elle aider à bien vieillir?

---

129. Ce récit est attribué au philosophe Arthur Schopenhauer et est rapporté par G. RINGLET, *op. cit.*, p. 87.

Trouver une distance convenable. C'est ce que tâchent de faire Marthe et François ainsi que Julie et Martin, qui, nouvellement retraités, ont décidé, selon leurs propres mots, «d'investir dans leur couple».

Marthe et François ont eu des relations harmonieuses tout au long de leurs trente années de vie commune. Ils admettent cependant qu'une certaine routine s'est installée. Certes, la retraite fournit davantage de temps à l'un et à l'autre pour réaliser des projets personnels qu'ils caressent depuis longtemps, et ils en profitent bien. Mais ils choisissent prioritairement de faire ensemble certaines activités. Ils ont commencé dernièrement à s'initier au taï chi. De plus, ils consacrent chaque mercredi de la saison hivernale à des séances de formation qui leur permettront d'enseigner aux adultes analphabètes de la région. Ils réapprennent également à se communiquer, au-delà de l'anecdote, leurs sentiments, leurs émotions et leurs idées. Leur nouvelle liberté et leur désir de rapprochement ont aussi des répercussions sur leur vie sexuelle. Ils expérimentent à nouveau le désir, la tendresse, la délicatesse, la patience, l'humour et parfois une certaine fougue. Surtout, Marthe et François rient ensemble comme jamais ils ne l'ont fait depuis le début de leur relation, et c'est le signe, selon eux, que leur couple se porte beaucoup mieux.

Julie et Martin tentent, eux aussi, d'améliorer leurs rapports, mais leur expérience est fort différente. Depuis leur mariage, leur relation a toujours été difficile. Elle s'est maintenue malgré tout à cause des trois enfants. Mais, depuis que ces derniers volent de leurs propres ailes, les raisons de continuer sont moins évidentes. Avec la perspective de la retraite, Julie et Martin appréhendaient même que les moments plus nombreux à passer ensemble n'entraînent encore plus de tensions et de disputes, sans compter les lourds moments de silence et le ressentiment. Cependant, après avoir réfléchi et évalué leurs capacités personnelles avec une psychologue du Centre local de services communautaires (CLSC), ils ont choisi de se donner une dernière chance de rapprochement. L'un et l'autre ont leur propre réseau social et un grand nombre d'activités. Ils se retrouvent à la maison pour des moments assez courts — du moins au début de l'expérience, — pendant lesquels ils s'exercent au respect, à l'écoute de l'autre et à la délicatesse envers l'autre. Ni trop proches, ni trop éloignés l'un de l'autre, Julie et Martin essaient d'apprendre à vivre ensemble.

3.5 Faire un bilan

Le rappel constant du geste à faire

La cage sans oiseaux [130]

Félix ne comprenait pas qu'on tînt des oiseaux prisonniers dans une cage. «De même, disait-il, que c'est un crime de cueillir une fleur et, personnellement, je ne veux la respirer que sur sa tige, de même les oiseaux sont faits pour voler.»

Cependant il acheta la cage; il l'accrocha à sa fenêtre; il y déposa un nid d'ouate, une soucoupe de graines, une tasse d'eau pure et renouvelable et il y suspendit une balançoire et une petite glace.

Comme on l'interrogeait avec surprise: «Je me félicite de ma générosité, disait-il, chaque fois que je regarde cette cage. Je pourrais y mettre un oiseau et je la laisse vide. Si je voulais, telle grive brune, tel bouvreuil pimpant qui sautille, ou tel autre de nos petits oiseaux variés serait esclave. Mais grâce à moi, l'un d'eux au moins reste libre. C'est toujours ça.»

Comment cette histoire peut-elle aider à bien vieillir?

---

130. Cette histoire est tirée de J. RENARD (1993), *Histoires naturelles*, Paris, Bookking International, p. 135.

Sur la route nouvelle qu'ils viennent de prendre, les aînés adoptent différents moyens pour garder présents à leur esprit le ou les buts qu'ils se sont fixés.

On trouve chez eux des aide-mémoire de toutes sortes: un tableau d'affichage, un calendrier-agenda, des objets-souvenirs, des coupures de revues, des photos, des horaires, un journal personnel, des slogans, comme autant de symboles de ce qu'ils sont et de ce à quoi ils tiennent. Comme autant de rappels, originaux et personnels, de ce qui demeure pour chacun un but important: la perception qu'il a de contrôler sa vie, en particulier dans les actions bien concrètes qu'il a décidé de mener.

Ils prennent également des engagements qui les obligent en quelque sorte à la vigilance au regard des décisions qu'ils ont prises: s'abonner à une revue, regarder une émission télévisée, adhérer à un club, participer à un groupe d'entraide, etc.

Tous ces moyens soutiennent la volonté et la persévérance, aidant ainsi à atteindre des objectifs à court terme, qu'il s'agisse de suivre un régime, de s'intégrer dans un réseau social, de faire régulièrement de l'exercice, d'exercer un talent longtemps négligé, de suivre une activité de formation, de nourrir une relation plus satisfaisante avec ses grands enfants ou de mettre en pratique toute autre décision favorisant la prise en main de sa propre vie.

Le défi le plus important de la personne est en effet d'entretenir le sentiment d'être maître de sa vie[131] quand, par ailleurs, elle est aux prises avec des pertes et des déclins de plus en plus nombreux. D'une part, la personne essaie d'adapter son action aux buts qu'elle s'est fixés. D'autre part, à la suite d'échecs, elle ajuste ses buts à ses capacités et à ses réalisations. Cet ajustement la conduit souvent à abandonner des buts considérés comme inaccessibles. Par ce processus d'accommodation, elle augmente ses chances de vieillir de façon heureuse. Il est courant de dire d'une telle personne qu'elle fait preuve de sagesse.

---

131. C. Vandenplas-Holper, *op. cit.*, p. 185-203.

La reconnaissance de ses alliés

Les traces dans le sable [132]

Une nuit, un homme fit un rêve. Il rêva qu'il marchait le long d'une plage avec Dieu. Des moments de sa vie apparaissaient dans le ciel. À chacun de ces moments correspondaient deux séries de traces de pas dans le sable: l'une d'elles lui appartenait, l'autre appartenait à Dieu.

Lorsque les moments importants de sa vie eurent défilé dans le ciel, il regarda à nouveau les traces de pas dans le sable et remarqua que tout au long du chemin qu'il était sensé avoir parcouru en compagnie de Dieu, il n'y avait parfois qu'une seule série d'empreintes. Il remarqua aussi que cela était survenu durant les moments les plus sombres et les plus pénibles de sa vie.

Ce constat le peina et il demanda à Dieu: «Mon Dieu, lorsque j'ai décidé de te suivre, tu m'avais dit que tu m'accompagnerais tout au long de ma route. Pourtant, durant les pires moments de ma vie, il n'y avait qu'une seule série d'empreintes dans le sable. Pourquoi m'as-tu abandonné?» Dieu répondit alors: «Mon enfant, je t'aime et je ne t'ai jamais abandonné. Lorsque tu as connu l'épreuve et la souffrance, si tu n'as vu qu'une seule série de traces de pas dans le sable, c'est que je te portais.»

Comment cette histoire peut-elle aider à bien vieillir?

---

132. Ce récit populaire porte souvent la mention «anonyme»; il est attribué par certains au poète brésilien Ademar de Borras, par d'autres à l'américaine Mary Stevenson.

Les tracas quotidiens, les souffrances intenses, le malheur qui semble s'acharner amènent à se replier sur soi-même, à avoir le sentiment d'être abandonné et à penser que l'on devra s'en sortir tout seul.

Claude Hardy, qui travaille auprès des jeunes, utilise une image éloquente pour rendre compte du sentiment d'abandon:

> lorsque je travaillais avec des jeunes tellement mal pris qu'ils me donnaient l'impression d'être au fond d'un puits, ma façon d'aller les chercher était de leur lancer une corde puis de leur dire: «Prenez-la. Vous vous attendez sans doute à ce que je tire dessus pour vous aider à remonter, mais je ne tirerai pas, parce que vous avez tout ce qu'il faut pour sortir du puits. Je ne lâcherai pas la corde, vous pouvez en être sûrs. Mais en même temps, je vous aime assez pour ne pas tirer. C'est vous qui devez grimper. Vous y mettrez le temps qu'il faut. Vous pourrez vous arrêter si vous êtes fatigués. Vous pourrez même redescendre si vous doutez. Mais il vous appartient de vous servir de ce que vous avez pour vous en sortir...» Presque toujours, sauf dans les yeux éteints, une petite flamme s'allumait alors dans les yeux des jeunes[133]...

Les alliés qui savent offrir aux personnes un soutien véritable au moment d'un nouveau départ leur lancent une corde, mais ils les aiment assez pour ne pas tirer. À elles de grimper!

C'est peut-être ce qui a donné à l'homme de l'histoire l'impression d'être abandonné par Dieu. Le fait de grimper pendant que l'autre tient la corde peut donner l'impression d'être laissé à soi-même. Pourtant, c'est précisément cet effort personnel qui assure un véritable départ.

---

133. C. HARDY, «Regarder autrement», dans *Revue Notre-Dame* n° 9, octobre 1999, p. 24.

Une invitation au dépassement

Face au ravin [134]

Un samouraï vint voir son Maître et lui dit: «Apprenez-moi enfin à devenir le meilleur combattant. Comme vous me l'avez demandé, pendant un mois, à longueur de journée, j'ai fait maints exercices: j'ai coupé du bois, du matin jusqu'au soir. Depuis un mois, j'ai marché sur le bord du tatami en posant un pied sur l'alignement de l'autre. Dites-moi ce qu'il me manque encore pour devenir le meilleur de tous les combattants.»

«Bien, dit le Maître, suis-moi.» Il l'amena dans la montagne où se trouvait une poutre de bois traversant un ravin d'une profondeur terrifiante. «Voilà, dit le Maître, tu dois traverser ce passage.» Le samouraï, face au précipice, semblait figé et sans moyen de relever ce défi. Tout à coup, ils entendirent toc, toc, toc, toc... C'était le bruit du bâton d'un aveugle qui s'avançait derrière eux. Sans tenir compte de leur présence, l'aveugle passa à côté d'eux et traversa sans hésitation, en tapotant de sa canne la poutre qui permettait de franchir le ravin. «Ah, pensa le samouraï, je commence à comprendre. Si l'aveugle traverse ainsi, moi-même je dois en faire autant.»

Le Maître lui dit à cet instant: «Durant plusieurs semaines, tu as entraîné ton corps et tu as marché sur le bord extrême du tatami qui est plus étroit que ce tronc d'arbre. Pour devenir un combattant accompli, tu dois contrôler tes émotions et ton état d'esprit face au ravin et à la mort.» Sans hésiter, le samouraï traversa le pont.

Comment cette histoire peut-elle aider à bien vieillir?

---

134. Ce récit est adapté de T. DESHIMARU, *op. cit.*, p. 40.

Il y a des moments dans la vie, et plus particulièrement quand on avance en âge, où l'on se trouve en face du ravin de la solitude. Certaines personnes le traversent, d'autres pas[135].

La solitude fait partie de la trame de la vie. Elle est la répercussion psychologique de situations difficiles qu'il faut, un jour ou l'autre, affronter. De façon générale, face à un problème de solitude, la plupart des gens, comme le samouraï de l'histoire, trouvent l'énergie nécessaire pour sortir de leur inhibition. Ainsi, la première victoire d'une personne sur la solitude est avant tout une victoire sur elle-même. Cette victoire n'est possible que si l'on a suffisamment confiance en soi, ce qui amène à faire confiance aux autres et à la vie. Ces personnes, malgré des événements qui sont causes de souffrance, sollicitent en elles-mêmes une volonté d'affirmation et d'engagement qui leur permet de briser le carcan de la solitude et d'affronter l'inconnu.

Pour d'autres personnes, la solitude est beaucoup plus difficile à vivre. Elles éprouvent d'énormes difficultés à s'adapter aux nouvelles situations et aux changements de vie; la solitude envahit toute la vie et devient un véritable mal à l'âme.

Leurs difficultés d'adaptation amènent ces personnes à opter pour des solutions qui ne font qu'aggraver leur état. Certaines ne vivent que pour les autres, d'autres se renferment en elles-mêmes, dans une vie amoindrie dont elles ne veulent plus sortir. Enfin, certaines vont jusqu'à la négation d'elles-mêmes, s'enferment dans la psychose ou se suicident.

De nombreuses personnes vieillissantes, surtout des hommes, mettent fin à leurs jours faute d'avoir pu exprimer leur détresse ou d'avoir été entendues. Sur les 109 personnes âgées qui se sont suicidées au Québec en 1995, 92 étaient des hommes. Il semble que les hommes aient plus de difficulté que les femmes à aller vers les autres, à créer et à maintenir un réseau, à s'adapter aux changements.

Selon des experts, pour que l'aide soit efficace, il faut éviter de moraliser et de culpabiliser la personne suicidaire, de vouloir tout

---

135. Les idées émises dans cette réflexion sur la solitude sont tirées en grande partie de P. CHABOT, «Apprivoiser la solitude», dans *Revue Notre-Dame*, février 1994, p. 11-13.

faire à sa place et de faire des promesses en l'air; il ne faut pas la mettre au défi de passer à l'action. Il importe d'aller chercher de l'aide, par exemple en mettant la personne en contact avec une personne-ressource du CLSC[136].

---

136. Les idées portant sur le suicide sont tirées de F. GENEST (2000), «Que faire quand le suicide semble l'unique solution», dans *Le bel âge*, février 2000, p. 43-46.

3.6 Avoir une vision apaisante de sa vie et de sa mort

La transmission de son expérience

Les cheveux de la vieille Indienne [137]

Il était une fois une vieille grand-mère qui errait à travers le territoire indien, accompagnée de son petit-fils. Personne ne savait d'où ils venaient. Ils allaient de camp en camp, demandant l'hospitalité, mais on la leur refusait, car tout nouveau venu était suspect. Ils finirent par arriver au camp d'une tribu d'Indiens. Ceux-ci étaient parmi les plus pauvres, mais leur cœur était généreux. Ils invitèrent les deux voyageurs à se réchauffer près du feu et partagèrent avec eux le peu de nourriture qu'ils avaient. Leur chef leur tint ce langage: «Si tel est votre désir, vous pouvez rester parmi nous, mais vous devez savoir que nous souffrons souvent de la faim. Nos terrains de chasse ne sont pas riches en gibier. — Nous serons heureux de partager votre sort, quel qu'il soit, répondit la vieille. En retour, je veillerai sur les enfants.»

L'arrangement était parfait. Les enfants surtout l'appréciaient: non seulement ils adoraient les histoires de la vieille, mais ils avaient désormais à manger sans attendre le retour de leurs parents, à la tombée de la nuit; la vieille leur servait son savoureux gruau de maïs. Plusieurs semaines s'écoulèrent ainsi.

Un matin, la grand-mère se sentit si faible qu'elle ne put se lever. Elle appela son petit-fils et lui fit ses dernières recommandations: «Je vais bientôt mourir, les grains de maïs que j'ai mis en terre sont sur le point de lever. Je meurs tranquille; j'ai accompli ma tâche. Il vous revient maintenant à toi et aux enfants d'arroser les grains, de les protéger des insectes et de sarcler la terre. Sinon, il n'y aura pas de récolte.»

La vieille mourut le jour même où mûrit le premier épi de maïs.

---

137. Ce récit s'inspire d'un conte figurant dans V. HULPACH, *Légendes et contes des Indiens d'Amérique*, Paris, Gründ, 1966, p. 53.

«Elle restera avec nous», dit le grand-chef en montrant le nouveau champ. Il savait en effet que son peuple ne souffrirait plus jamais de la faim. Lorsque la barbe sort des épis, les Indiens croient voir les cheveux d'argent de la grand-mère.

Comment cette histoire peut-elle aider à bien vieillir?

Dans les communautés locales actuelles, que ce soit dans un village rural ou dans un quartier urbain, une grand-mère peut aussi être un pilier. Elle dépanne, sur demande, une famille ou l'autre du voisinage. Souvent même, elle assure déjà la garde temporaire de son propre petit-enfant, partagé entre deux parents séparés. Le grand-père fait généralement sa part. C'est souvent lui qui prend les petits à l'école, les amène au parc ou au baseball. Ces deux grands-parents sont des retraités, mais, comme d'autres dans leur quartier, ils ont une retraite socialement active.

René et Cécile dirigent une coopérative d'aliments et de vêtements. Marie-Paule coordonne une équipe d'assistance pour les devoirs et leçons. Monique donne quelques heures par jour à la Chaumière, une maison pour femmes victimes de violence. Fernand amène régulièrement des personnes atteintes de cancer à l'hôpital pour leurs traitements. Lisette, une enseignante à la retraite, retourne régulièrement à son école pour aider une novice dans la profession. Jean-Paul, autrefois directeur d'un service des ressources humaines, apporte son soutien à des chômeurs en quête d'emploi. Suivant leurs compétences et leurs intérêts, leur générosité également, tous ces aînés acceptent de mettre l'épaule à la roue. Ces «solidarités intergénérationnelles»[138] améliorent la qualité de la vie en société.

Le Québec comptait, en 1999, plus de préretraités et de retraités de moins de 65 ans que de retraités de plus de 65 ans. La retraite s'étale sur plusieurs décennies et touche souvent deux générations à la fois[139]. Ces personnes, qui ont contribué à bâtir la société démocratique que nous connaissons aujourd'hui, ont acquis des connaissances variées, une longue expérience des personnes et des institutions, une capacité d'écoute et de conseil, et surtout, elles ont du temps: du temps pour accompagner, pour encourager, pour patienter, pour dénoncer et aussi pour s'engager socialement. Avec des concitoyens de tous les âges, elles acceptent de relever certains des nombreux défis sociaux actuels. Elles désirent «communiquer

---

138. J. CARETTE, *op. cit.*, p. 60.
139. *Ibid.*, p. 333.

ce qu'elles ont cru percevoir et comprendre du sens de la réalité qu'elles ont côtoyée quelques années; ce qu'on peut appeler le métier, ou mieux l'art de vivre»[140].

Selon Erickson, la vieillesse se vit dans la sérénité quand elle s'accompagne d'un sentiment de continuité et de permanence, de la perception qu'elle laisse un héritage positif à la génération montante, de la satisfaction par rapport à sa contribution au devenir de l'humanité.

---

140. H. REEVES, *op. cit.*, p. 77.

La participation au mouvement de l'univers

La petite feuille du grand arbre [141]

Le sage de la Forêt Noire, Karlfried Graf Dürckheim, s'entretint de la profondeur de la vie et de sa relation avec la mort, alors qu'il visitait ses élèves et disciples Alphonse et Rachelle Goettmann.

Pensez à la petite feuille du grand arbre! Si la feuille était douée de conscience, ne serait-elle pas, en automne, sous l'emprise du sentiment de sa mort prochaine? Assurément, si sa conscience ne contenait rien d'autre que la feuille, la feuille en soi. Alors elle sentirait qu'elle jaunit, qu'elle commence à sécher, qu'elle va bientôt tomber, jouet du vent, victime de puissances destructives. Supposons maintenant que la feuille puisse avoir conscience que ce qui vit en elle n'est pas seulement la feuille mais en même temps l'arbre: elle saurait alors que sa vie et sa mort annuelles sont un mode d'être de l'arbre, elle serait consciente que la vie de l'arbre est en elle, que la Vie inclut non seulement sa petite vie mais sa petite mort. Et instantanément, l'attitude de la feuille face à la vie et face à la mort serait transformée; l'angoisse disparaîtrait et tout prendrait un autre sens.

Comment cette histoire peut-elle aider à bien vieillir?

---

141. Cette histoire est tirée de A. et R. GOETTMANN (1988), *Graf Dürckheim: images et aphorismes*, Paris, Dervy, p. 124.

Si la feuille était consciente qu'elle est en même temps un arbre. Et qu'elle frôle d'autres feuilles dans cet arbre. Et qu'il existe des feuilles toutes semblables dans des milliers d'autres arbres. Et même d'autres types de feuilles sur d'autres types d'arbres.

Si la feuille était consciente qu'elle fait partie de l'arbre. Consciente que cet arbre fait partie d'une forêt, consciente que cette forêt abrite des ours, des loups et des renards, qui courent, mangent, boivent, s'accouplent, vieillissent et meurent.

Consciente qu'elle est au Québec, sur le continent américain, sur une planète appelée Terre, que des hommes et des femmes y vivent et y meurent également... Que la vie de ces Terriens dure depuis plus de deux millions d'années et que les atomes qui constituent les êtres humains sont semblables à ceux qui auraient commencé à se former à la suite du big bang, il y a 15 milliards d'années. Que des atomes identiques se trouvent également chez le loup, l'ours et le renard, dans les étoiles et les galaxies, ainsi que dans les arbres et les feuilles.

Si la petite feuille était consciente que les humains ont été gaz, eau, carotte, fougère, plantes, animaux. Que les atomes qui les constituent ont été présents dans toutes ces formes qui les ont précédés, celles du vivant et celles du non-vivant... et qu'ils continuent...

Mais la feuille n'a pas la conscience, à la différence de l'être humain.

Au fil de l'évolution sont apparus l'être humain et la pensée. L'individu a conscience de faire partie du mouvement fondamental qui anime la totalité de l'univers. Mais en même temps, il est conscient d'être unique et irremplaçable, conscient d'être traversé par le dynamisme profond de la vie qui est à la fois vie et mort. Vivre, alors, c'est aussi mourir. Et mourir fait partie de la vie et contribue à en soutenir l'élan.

La mort fait partie du cycle de la vie

La maison de l'univers et de la vie [142]

> *Un soir, au coin du feu, Cerf Noir, un Chaman indien, tint ses paroles qu'il détenait de ses ancêtres, qui eux les avaient entendues de leurs ancêtres. Ce soir-là, il parla de la mort et de la vie. «Songe que toute tente d'Indien est ronde. Tu y entres quand le soleil se tient dans toute sa force, doré dans le ciel; puis, lorsque les nuages commencent à obscurcir la terre, tu te tournes vers l'ouest et tu entres dans la force du pays; puis, tu te tournes vers le nord, d'où vient le blizzard, et tes cheveux deviennent blancs comme de la neige; enfin tu te retournes vers l'est, où le soleil se lève rouge comme du sang, et tu dois alors apprendre que la mort, c'est ta vie.»*

Comment cette histoire peut-elle aider à bien vieillir?

---

142. Ce récit est tiré de E. DREWERMANN (1991), *La parole qui guérit*, Paris, Cerf, p. 33.

La civilisation indienne figure l'harmonie de l'univers et des êtres dans l'univers sous la forme d'un cercle. De même, dans sa représentation du monde, toute chose tend à être ronde: la lune, les nids d'oiseaux, le cycle des saisons... Même la vie d'un être humain est un cercle, depuis sa naissance jusqu'à sa nouvelle naissance. Et la mort fait partie de ce mouvement circulaire[143].

Dans la cosmologie actuelle, on utilise souvent le cercle pour représenter l'idée de cycle. Et pareillement, la mort s'y inscrit comme essentielle. Elle marque la fin, mais aussi le terme à partir duquel la vie pourra rebondir. La mort n'est pas au bout de la vie, mais dans la vie, comme la chenille est dans le papillon. Comme l'affirme Hubert Reeves, «c'est la roue de la vie. C'est l'évolution en spirale[144].»

Il en est de même dans la vie de chaque être humain. D'une étape à l'autre — enfance, adolescence, âge adulte, maturité et vieillesse, d'un événement marquant à l'autre, l'être humain grandit, se développe, progresse au prix de séparations, de renoncements, de deuils. Les difficultés, la douleur, les souffrances sont, en ce sens, des conditions de croissance. De même que partir, c'est mourir un peu, grandir c'est mourir un peu. Grandir, c'est toujours quitter un état antérieur pour aller à la découverte de ce que maintenant je vais devenir.

«Grandir dans sa mort, voir sa dernière heure comme la dernière étape de sa croissance»[145], voilà qui peut aider à voir la mort davantage comme un phénomène naturel. Alors, le «je» peut plus facilement s'abandonner. Je laisse partir ce qui demande à mourir pour que ce qui demande à venir puisse naître[146]. Selon certaines études[147], quand l'individu arrive à considérer la mort comme un événement naturel et prévisible, elle engendre moins d'anxiété.

143. M. PIQUEMAL (1993), *Paroles indiennes: textes indiens d'Amérique du Nord*, Paris, Albin Michel, p. 45.

144. H. REEVES (1981), *Patience dans l'azur: l'évolution cosmique*, Québec, Presses de l'Université du Québec, p. 143.

145. E. KÜBLER-ROSS (1985), *La mort, dernière étape de la croissance*, Monaco, Éditions du Rocher, p. 174.

146. B. LAMBOY (1989), *La mort réconciliée*, La Varenne Saint-Hilaire (France), Éditions Seveyrat, p. 236.

147. B. L. NEUGARTEN et N. DATAN (1973), cités dans D. GOLDHABER, *Psychologie du développement*, Montréal, Éditions Études vivantes, p. 459.

Au-delà des interrogations: l'espoir

L'aventure de la poupée de sel[148]

Une belle histoire bouddhiste raconte qu'une poupée de sel, après un long pèlerinage à travers les terres arides, arriva à la mer et découvrit quelque chose qu'elle n'avait jamais vu et qu'elle était incapable de comprendre. Elle se tenait sur le sol ferme, solide petite poupée de sel, et voilà que, devant elle, s'étendait un autre sol, mobile, dangereux, bruyant, étrange et inconnu. Elle demanda à la mer: «Mais qui es-tu? — Je suis la mer.» La poupée demanda encore: «Qu'est-ce que la mer?» Et la mer répondit: «C'est moi. — Je n'arrive pas à comprendre, dit la poupée, mais je voudrais bien, comment le pourrais-je?» La mer répondit: «Touche-moi.» Alors la poupée avança timidement un pied et toucha l'eau, et elle éprouva l'étrange impression que cette chose-là commençait à devenir connaissable. Elle retira sa jambe et vit que ses orteils avaient disparu; elle fut effrayée et dit: «Oh! Où sont passés mes orteils? Qu'est-ce que tu m'as fait?» Et la mer dit: «Tu as donné quelque chose afin de pouvoir comprendre.» Progressivement l'eau grignota des petits fragments du sel de la poupée et celle-ci avança de plus en plus loin dans la mer; et plus elle avançait, plus elle avait l'impression de comprendre mieux sans pourtant être capable de dire ce qu'était la mer. «Mais qu'est-ce que la mer?» À la fin, une vague fit disparaître ce qui restait d'elle et la poupée dit: «C'est moi!» Elle avait découvert ce qu'était la mer, mais pas encore ce qu'était l'eau.

Comment cette histoire peut-elle aider à bien vieillir?

---

148. Ce récit est rapporté par P. TREMBLAY (1995), *Les saisons à venir: la mort et l'au-delà*, Sainte-Foy, Éditions Anne Sigier, p. 50. Il l'a tiré de *Information catholique internationale* n° 411, 1974, p. 34.

On avance vers la mort sans vraiment savoir ce qu'il y a au-delà. Mais quoi qu'il en soit, on doit y faire face.

Certains mourants font une expérience plus consciente de cette transition, comme s'ils étaient inspirés et aspirés par la plénitude qui les attend.

Marie de Hennezel, psychologue française bien connue à l'échelle internationale par les récits qu'elle fait de son expérience quotidienne dans une unité de soins palliatifs, décrit la mort touchante d'une jeune toxicomane de 25 ans atteinte d'un cancer généralisé.

> Si la mort devait être à l'image de la vie, on aurait pu craindre une mort difficile et tourmentée pour cette jeune fille, une mort dans la révolte peut-être, ou tout au moins dans l'angoisse. Or les choses se sont passées bien autrement.
>
> Ce matin-là, elle avait annoncé qu'elle allait mourir [...] En effet, elle était brûlante. Je m'en aperçus en lui prenant la main [...] Son souffle était court et devenait de plus en plus bruyant. Mais elle me paraissait calme et ne semblait pas souffrir [...] Elle répéta: «Je vais mourir.» Je me mis alors à lui caresser le front, tandis qu'elle haletait. On eût dit qu'elle poussait sur ses jambes, comme pour accoucher.
>
> Je pensais à cette phrase d'un ami à propos du travail intérieur qu'accomplit celui qui va mourir: une tentative de se mettre complètement au monde avant de disparaître [...] Cette jeune femme, qui avait tant de mal à vivre, n'était-elle pas en train de se mettre au monde, de naître ailleurs[149]?

Mue par son espoir dans la vie, n'avançait-elle pas paisiblement vers l'ultime réponse, confiante d'y trouver son accomplissement?

---

149. M. DE HENNEZEL, *op. cit.*, p. 227.

Les larves et la libellule [150]

Au fond d'un vieux marécage vivaient quelques larves qui ne pouvaient comprendre pourquoi nulle du groupe ne revenait après avoir rampé au long des tiges des lys jusqu'à la surface de l'eau. Elles se promirent l'une à l'autre que la prochaine qui serait appelée à monter reviendrait dire aux autres ce qui lui était arrivé. Peu de temps après, l'une d'entre elles se sentit poussée de façon irrésistible à gagner la surface; elle se reposa au sommet d'une feuille de lys et subit une magnifique transformation qui fit d'elle une libellule avec de fort jolies ailes. Elle essaya en vain de tenir sa promesse. Volant d'un bout à l'autre du marais, elle voyait bien ses amies en dessous. Alors, elle comprit que, même si elles avaient pu la voir, elles n'auraient pas reconnu comme une des leurs une créature si radieuse.

Comment cette histoire peut-elle aider à bien vieillir?

---

150. Ce récit de W. D. Cavert est rapporté par H. et M. MONTGOMERY (1979), *Par delà la tristesse*, Ottawa, Novalis, p. 60.

Vue de dehors, du côté des larves, la mort est une fin. Vue du dedans, du côté de la libellule, elle est un commencement. Entre les deux manières d'être, celle de la larve et celle de la libellule, s'opère une transformation. Ainsi, les larves ne sauront rien de la mort tant qu'elles n'auront pas elles-mêmes fait l'expérience de la transformation.

La mort se vit, s'éprouve; elle est du registre de l'expérience, non de celui des raisonnements. Toutefois elle s'observe, elle se voit. Ceux et celles qui accompagnent les mourants, depuis le diagnostic défavorable jusqu'à la fin, peuvent être témoins de certains comportements liés à l'expérience de la mort. Face à la mort qui apparaît de l'extérieur comme la disparition de son être, presque instinctivement, le moi s'efforce de se maintenir. Il résiste. Il se bat contre l'ennemi. E. Kübler-Ross discerne, à l'approche d'une mort annoncée, plusieurs stades pour essayer de séduire la mort, de l'amadouer ou de la repousser. Ce sont des indications sur certaines attitudes que le malade adopte naturellement selon son état: le refus du verdict, la colère, le marchandage, la dépression[151].

Le dernier stade est, en effet, la dépression. Dans ce moment creux, le moi se retire, se fait silencieux et permet qu'affleure une autre réalité dont la présence était voilée jusque-là par l'agitation des étapes précédentes. L'être humain plonge plus profondément en lui, à l'écoute de son intériorité. Souvent, des questions existentielles vont sourdre: «Au moment où tout m'est retiré de ce que j'ai connu, que me reste-t-il[152]?»

Il se peut qu'à l'approche de cette ultime rupture, le moi se cramponne encore à son désespoir, à son effroi, à sa révolte, qu'il lutte, résiste, se batte contre l'ennemi jusqu'au dernier moment. Il se peut aussi que la lutte fasse place à l'apaisement et que le moi se réconcilie avec le mouvement profond de la mort et de la vie.

---

151. E. Kübler-Ross (1975), *Les derniers instants de la vie*, Genève, Labor et Fides, p. 47.
152. B. Lamboy, op. cit., p. 121.

Le départ du voilier[153]

Tous les matins, le prieur sortait de son monastère et partait marcher sur le bord de la mer. Ses mains dans le dos, le front au vent, en faisant les cent pas, il trouvait les mots et les images qui l'aideraient à aborder, dans ses enseignements, les questions angoissantes de la destinée humaine. Il donna un jour cette prédication sur le sens de la mort.

À l'aurore, quand je suis au bord de la plage, j'aime observer un voilier, au moment où, dans la brise du matin, il part vers l'océan; il est la beauté, il est la vie, je le regarde jusqu'à ce qu'il disparaisse à l'horizon et soudain il est parti.

Parti? Vers où? Parti de mon regard, c'est tout! Son mât est toujours aussi haut. Sa coque a toujours la force de porter sa charge humaine. Sa disparition totale de ma vue est en moi, pas en lui. Et juste au moment où je constate qu'il est parti, il y en a d'autres qui, le voyant poindre à l'horizon et venir vers eux, s'exclament avec joie: le voilà.

C'est ça la mort.

Comment cette histoire peut-elle aider à bien vieillir?

153. Ce texte attribué à William Blake figure parmi les récits que le Service d'accompagnement dans le deuil de la Maison Michel Sarrazin (Sillery, Québec) met à la disposition des personnes endeuillées.

Ce texte est parfois affiché dans les salons funéraires. On a pris l'habitude, en certains endroits, de l'intégrer au rituel des obsèques. Sans forcer l'adhésion à une croyance plutôt qu'à une autre, il propose une représentation de la mort.

Alors que les médias offrent aux consommateurs des images toutes prêtes et des idées toutes faites, des textes symboliques comme «Le départ du voilier» stimulent, provoquent et alimentent la réflexion et la vie intérieure, qui crée ses propres images. Grâce à ces dernières, des réalités mystérieuses comme la mort parviennent à être représentées, à être apprivoisées et à perdre leur aspect angoissant et terrifiant.

L'image du voilier, par exemple. La personne qui l'évoque la fabrique à partir des expériences qu'elle a déjà de l'eau et des rivages, des grands horizons et des marées, de la navigation et de l'arrivée dans une contrée nouvelle... Et ainsi, il en serait, pour elle, de la mort, comme d'un voilier qui...

Pour l'entourage de la personne décédée, le voilier est passé, mais il continue d'exister; il vogue quelque part de l'autre côté de l'horizon... vers un environnement accueillant, semble-t-il.

Pour ceux et celles qui, avançant en âge, ont la conscience de voguer inéluctablement vers leur propre mort, l'image du voilier peut apporter la sérénité. En effet, comme l'angoisse existentielle est vraisemblablement liée à la certitude de la mort, le fait de penser que l'on disparaît ici pour apparaître là-bas peut être rassurant: la mort ne serait pas une fin définitive, car l'être que l'on est continuerait d'exister.

Le bon berger[154]

Le roi David gardait, aux champs, les moutons de son père, lorsque Samuel arriva pour le faire roi d'Israël. Plusieurs années plus tard, David, qui était poète et musicien, composa un psaume, un chant qui exprime sa confiance en Dieu, qu'il compare à un bon berger.

> *Le Seigneur est mon berger, je ne manque de rien.*
> *Sur les prés d'herbe fraîche, il me fait reposer.*
> *Vers les eaux du repos, il me mène, il y refait mon âme.*
> *Il me guide par le juste chemin pour l'amour de son nom.*
> *Passerais-je un ravin de ténèbres, je ne crains aucun mal;*
> *près de moi son bâton, sa houlette sont là qui me rassurent.*

Comment cette histoire peut-elle aider à bien vieillir?

---

154. *Psaume 23*, dit du Bon berger.

Quand on cherche à se préparer pour l'ultime départ que sera sa propre mort, une préparation même lointaine, si possible, est souhaitable. On a alors le temps d'apprivoiser des images qui nous aideront à nous rendre plus sereinement jusqu'au saut dans l'inconnu. L'image du bon berger, si familière dans la culture chrétienne d'ici, est riche de connotations rassurantes.

Aujourd'hui, le métier de berger est rare dans les pays occidentaux et, quand il existe, il diffère beaucoup de la tradition orientale originelle. David, à qui on attribue le psaume «du Bon berger», était un Juif bien connu sous le nom de Roi David. Avant d'être roi, il avait été berger, comme Abraham et Moïse, pour ne citer que ceux-là. Le peuple juif était à l'origine un peuple de bergers. Plusieurs grandes figures de l'histoire juive sont des bergers.

En hébreu, le mot berger a trois significations: rester sur ses gardes, en éveil, être prêt à faire face à un danger imminent; observer avec soin, surveiller avec la plus grande attention; enfin, prévoir l'avenir pour y pourvoir. Ces trois significations ont ceci en commun qu'elles renvoient à une action[155].

Le berger accomplit toutes ces actions. Il est pleinement éveillé, vigilant, sur ses gardes, prêt, attentif et prévoyant. Un bon berger, dit-on, ne s'assied jamais. De temps à autre, il s'appuie sur son bâton, mais il ne perd jamais de vue le troupeau. Certains bergers, au Liban par exemple, dorment au milieu de leurs bêtes. Ainsi, le berger connaît ses bêtes et elles le connaissent. Il est si proche de ces dernières qu'il peut sentir ce qu'elles vivent. Elles connaissent sa voix, mais pas celles des autres. L'autorité qu'il exerce sur ses animaux tient à sa présence constante, à son dévouement et à ses soins. L'amour de ses moutons va jusqu'à les protéger du danger que représentent un loup ou un ravin à traverser.

Certaines personnes aimeront s'imaginer en train de franchir le ravin de la mort dans les bras du bon berger.

---

155. P. Van Breemen (1986), *Tu as du prix à mes yeux*, Montréal, Éditions Bellarmin, p. 19.

À vous la parole

Les auteurs de ce livre sont intéressés à connaître les réactions et commentaires des lecteurs et lectrices, notamment par rapport aux trois temps de la démarche et aux effets qu'a pu produire chez eux un récit ou l'autre.

Vous connaissez d'autres histoires de sagesse? L'auteur ou l'origine d'un récit reproduit dans ce livre? Faites-le savoir aux auteurs.

On peut communiquer avec eux par Internet aux adresses suivantes:

brunelj@videotron.ca
cplante@mediom.qc.ca

Table des matières

Chapitre 2